HOTEL EUROPA
DEUTSCHLAND

Marianne Howarth • Michael Woodhall

Hodder & Stoughton

LONDON SYDNEY AUCKLAND

Acknowledgements

The Publishers would like to thank the following for permission to reproduce material in this volume: Hardy Brackmann and Katja Eggers for the extract from *Zeitmagazin* on p.42; Continental AG for the extract from *Profile* on pp.28–9 and other company realia; Deutsche Messe AG for the extract from the *Hannover Messe Industrie* leaflet on p.137; Deutsche Presse-Agentur GmbH for the photograph from *Scala* on p.59; Globus Kartendiest GmbH for the information contained in the map on p.12; Rainer Sennewald for the diagrams from *Spiegel Spezial* on pp.43, 59, 75, 89, 104 and 152.

The Publishers would also like to acknowledge the following for use of their material; A & C Druck und Verlag GmbH for the extract from *Tele Monat* on p.136; Berliner Sparkasse for the advertisement on p.138; Die deutsche Bundesbank for material from their leaflet *Die neuen Gesichter der deutschen Mark* on p.75 and material used on p.149; Felten Medien Concept KG for the map from *Tip* on p.58 and material from *Jugend Magazin* used on p.75; Flughafen Hannover-Langenhagen GmbH for the extract from *Luftverkehr* on pp.135–6 and from the *Winter 1990/91 timetable* on p.143; Profitravel for material used on pp.120–1; PWS Partner-Werbe-Service for the advertisement on p.92.

Every effort has been made to trace and acknowledge ownership of copyright. The publishers will be glad to make suitable arrangements with any copyright holders whom it has not been possible to contact.

British Library Cataloguing in Publication Data
Howarth, Marianne
   Hotel Europa Deutschland. – (Hotel Europa)
   I. Title   II. Woodhall, Michael   III. Series
   438.3
ISBN 0 340 54245 4

First published 1991

Typeset by Wearside Tradespools, Fulwell, Sunderland
Printed in Great Britain for the educational publishing division of Hodder & Stoughton Ltd, Mill Road, Dunton Green, Sevenoaks, Kent by Thomson Litho Ltd, East Kilbride.

Contents

The *Hotel Europa* series

Business languages for beginners

Learning a language for business purposes has taken on a new lease of life in the 1990s. The Single European Market and the Channel Tunnel have brought with them a host of new opportunities for British business people to work with their partners from abroad on many different kinds of projects. These include the traditional areas of exporting, such as working with an agent or a subsidiary company, but new scenarios are important too. Joint ventures and projects, work placements abroad and job exchanges are all growing in number. As a result, more and more business people are recognising the need to develop proficiency in a foreign language as an important business tool.

In education too, there has been a growth in the number of courses featuring a business language component. In higher education, the new universities have led the way in offering institution-wide language programmes, enabling undergraduates in all disciplines to acquire competence in a foreign language in addition to their main course of study. Likewise, there is an increasing number of degrees provided jointly with European partner institutions, some leading to dual qualifications. In short, there is a wide range of language learning opportunities both for the business community of today as well as for the business people of tomorrow.

The *Hotel Europa* series originates from this background. The series acknowledges the need language teachers have for course materials with a business focus. Designed for classroom use with beginners or near-beginners, the series aims to provide authentic business situations, relevant to a wide range of industries, products and services. By setting the series in the functions and special events office of a hotel, we provide a business scenario which is accessible to anyone using the course, teacher or learner, whatever their own business background.

With the publication of *Hotel Europa Italia*, the series now comprises the following courses:

- *Hotel Europa France*
- *Hotel Europa Deutschland*
- *Hotel Europa España*
- *Hotel Europa Italia.*

Each coursebook is complemented by a support pack consisting of two C60 cassettes and a booklet containing the cassette transcripts and key to exercises. Other elements in the *Hotel Europa* series are the Resource Packs and CD-ROMs, full details of which are available from the publishers.

As Series Editors with extensive experience of working together to design and deliver courses tailored to the needs of the business community, we should like to have this opportunity of thanking our clients and colleagues for their help in shaping the *Hotel Europa* series. The range of business situations and language featured in the series is based entirely on the expertise we have been able to develop in this area through our contact with them. We are pleased to be able to pass it on for the benefit of others.

Marianne Howarth
Department of Modern Languages
The Nottingham Trent University

Michael Woodhall
International Programmes
Bournemouth University

Hotel Europa Deutschland

Introduction

Hotel Europa Deutschland is a course in business German for beginners, and for those with some knowledge of German who wish to convert to the language of business.

The course is intended for classroom use. Used as a basic course book in a regular weekly class, it will probably take one year to complete the ten chapters. It can also be used intensively and is likely to take between 50 and 70 hours. People with some prior knowledge of German may be able to complete the course in an even shorter time, depending on their language level and familiarity with business German.

No book for beginners can cover the whole range of business expertise, situations, industries, products and services the business person might reasonably expect to encounter in the course of a normal working life. In *Hotel Europa Deutschland* we feature situations which all business people are familiar with: making contact, introductions, meetings, presentations, and so on. The language functions and the business vocabulary presented in the course are appropriate to these general business situations. All of them can be adapted to meet specific purposes. That is why we do not specify Firma Continental's precise line of business. In this context, it is incidental and would take us into areas of vocabulary which would be of limited relevance to people using this book.

About this book

We have placed a high emphasis on listening to the language, and listening to quite a lot of it, as the key to subsequent active use of German. The basic material is contained in the 40 short dialogues (four per chapter) which are also recorded on audio cassette.

Beginners listening to these dialogues can help themselves in the early stages by listening out for the English cognates. Combined with their own experience of similar business situations, this will give them a store of passive knowledge on which the teacher can draw.

We feel it is important to exploit this passive knowledge quickly, so that beginners can soon start to develop their command of German for business communication purposes. The exercises are designed to encourage active practice of the functions and vocabulary contained in the dialogues, and to build on them.

Throughout *Hotel Europa Deutschland* we have emphasised being able to understand the German you hear and read, and making yourself understood when you are speaking or writing German. Grammatical accuracy and elegance of expression may be desirable. However, they are secondary to the prime objective of efficient communication.

Teachers should help learners to realise that in business, as in other contexts, making the effort to communicate with others in their language is already a point in their favour. *Hotel Europa Deutschland* aims to help people communicate with their business partners in an acceptable way. It is based on the idea that 'in real life' people are most interested in what you have to say, and that they will be grateful to you for the courtesy of saying it to them in their language.

Suggestions for using *Hotel Europa Deutschland*

Each chapter follows the same overall pattern and can be exploited in a variety of different ways, according to the needs of the people learning German and the preferred approach of the teacher. The pattern and the content of each chapter is very flexible; the exploitation presented in this book is based on our experience of delivering language courses to the business community over a period of many years. However, these suggestions are intended only as a guide; others will have different ideas. There is considerable freedom of choice for learners and teachers alike.

Vorbereitung

Each stage opens with an item of authentic business German, such as a set of business cards, a brochure, a letter or an advertisement. This acts as an introduction to the broad theme of each stage in terms of content and language. This is followed by a short exercise, designed to help learners make sense of a written source when their knowledge of German is limited. In the interests of privacy, minor details of telephone numbers and addresses have occasionally been changed.

Dialoge

The 40 dialogues form the core material of *Hotel Europa Deutschland*. They represent a valuable body of business German and it is important to exploit them as fully and flexibly as possible. They are introduced by some key words and phrases and their English equivalents. The dialogues are also recorded on audio-cassette. Ideally, learners should listen to the cassette without reference to the text as often as is necessary, until they feel ready to read them and to tackle the comprehension exercise.

Was verstehen Sie?

These exercises have been written in German but, to begin with, it will almost certainly be necessary to work through them in English. There is no right point at which to move from English into German for this exercise.

Aufgaben

Each dialogue is followed by two types of exercise. The first aims to develop an understanding of one or two key language points, previously featured in the dialogue. The second offers an opportunity to put some of the language functions, the language points and the vocabulary into active practice in the framework of a short business assignment.

The *Aufgaben* offer scope for extending the material presented in the dialogues in a flexible way. For example, the exercises on individual language points can be done orally, or in writing. The communicative assignments can often be done in pairs or in small groups, depending on classroom circumstances.

Rollenspiel etc

To round off each chapter in active communication terms, there is a more broadly focussed communication exercise. It aims to engage learners in active practice (spoken or written) of the language functions, the business situations and the vocabulary of the stage as a whole. It may take the form of a *Rollenspiel* (roleplay), but it may also be a classroom activity, a written exercise, a dialogue chain or a simulation of a standard business situation.

Deutschland

Each stage contains some information about Germany and business life in Germany. Some of this is in German, some in English, depending on the complexity of the material. Each section is supported by some further authentic material.

Jetzt sprechen Sie

Each stage finishes with a checklist of functions and phrases in English and German. Mastering these will help the business learner achieve impact and results when using German in a business context.

There are three further sections to *Hotel Europa Deutschland*:

- key phrases
- grammar
- glossary

Key phrases

These lists provide a quick source of reference to phrases and sentences used in a range of standard business situations. They include business socialising, participating in meetings, making presentations, simple negotiating and telephoning.

Grammar

This section offers practical explanations and examples of the grammar points covered in *Hotel Europa Deutschland*. The numbers in triangles alongside the exercises in each chapter refer to the corresponding grammar section.

Glossary

The vocabulary section contains all the vocabulary covered in the dialogues and exercises and the English equivalents. Plurals, separable verbs, strong and irregular past participles are all indicated. The vocabulary section only covers the main words and phrases occurring in the authentic materials where these form part of the associated exercise.

Acknowledgements

While writing and piloting *Hotel Europa Deutschland*, we received a great deal of help from a large number of people. We would like to thank, in particular, Herr Norbert Lange, Food and Beverage Manager at relexa hotel in Bad Salzdetfurth and Herr Manfred Carli of Hotel Schwaghof in Bad Salzuflen, for the hotel realia, Herr Peter Matthies, Head of Training and Development at Alcatel kabelmetal and Frau Bettina Olfe of Continental AG for the company realia.

A group of long-suffering learners from Siemens Plessey Controls Limited in Poole will be forever in our debt. They enabled us to test out the materials thoroughly. Participants in courses arranged for CIBA-Geigy Pharmaceuticals, Horsham and TSB Trustcard, Brighton also used some of the materials and we are grateful for their feedback. Frau Bernadette Stein of Continental AG and Frau Hedwig Rodert read through the dialogues and the exercises to help us to make the scripted material as natural as possible, and we would like to thank them for their help. None of these kind people is in any way responsible for any errors which may have crept in; our readers must blame us.

Marianne Howarth   Michael Woodhall

Ein Konferenzraum für 30 Personen

In Stage 1, you will start to

- use some business language
- give some simple information
- ask some questions
- learn some numbers and the alphabet

Franz Fischer, sales manager at Firma Continental, and his assistant, Renate Knopf, are planning the company's winter sales conference. Franz Fischer asks Renate Knopf to look for a suitable meeting room in a local hotel.

• • •

Renate Knopf phones Hotel Europa to ask for details of meeting rooms. She speaks to Andreas Breitner, front-of-house manager. The hotel promises to send appropriate information.

• • •

Franz Fischer asks Renate Knopf to make an appointment for them to look at *Hotel Europa* and the meeting rooms.

• • •

Renate Knopf calls Andreas Breitner to make an appointment for an exploratory visit the following morning.

Vorbereitung/*Preparation*

Anschrift	Kontakt	Telefon	Fitness
relexa hotel Bad Salzdetfurth An der Peesel 1 3202 Bad Salzdetfurth	Über Bankettbüro ☎ 05063 – 29175	(05063) 29-0 **Telex** 927444 **Telefax** (05063) 29-113	Hallenschwimmbad (29°C), Sauna, Solarium, Fitneß-Geräte, Billardzimmer
Tagungsräume 9 Konferenz- und Tagungsräume miteinander kombinierbar, bis 400 Personen.		**Zimmer / Betten** 114 Komfortzimmer, 4 Suiten, 12 Junior- Suiten, 2 Maisonetten- Appartements, Dusche/ WC, Farb-TV, Telefon, Radio, Minibar.	**Einrichtungen außerhalb** 9-Loch-Golfanlage, Segelflugplatz, Tennis- zentrum, Kurmittelhaus, großes beheiztes Thermalsole-Frei- und Hallenbad.

Study the information and then answer the following questions:

1 Fill in the gaps to complete the address:

> relexa hotel
> . . . Salzdetfurth
> An der Peesel 1
> . . . Bad Salzdetfurth

2 What is the telephone number?

3 What is the fax number?

4 Name two things you can do to keep fit.

5 What is the total number of people the meeting rooms can accommodate?

Dialog 1

Die Firma Continental plant eine Präsentation

 Lesen Sie diese Ausdrücke. Dann hören Sie der Kassette zu.

Haben Sie einen Moment Zeit?	*Do you have a minute?*
Was kann ich für Sie tun?	*What can I do for you?*
Die Sache ist so, . . .	*This is the situation, . . .*
für 30 Personen	*for 30 people*
im Hause	*in-house*
zu klein	*too small*
rufen Sie ein Hotel an	*phone a hotel*

Renate Knopf:	Herr Fischer, haben Sie einen Moment Zeit?
Franz Fischer:	Natürlich. Was kann ich für Sie tun?
Renate Knopf:	Die Sache ist so, die Winterpräsentation ist im September.
Franz Fischer:	Ja, richtig, für 30 Personen.

Renate Knopf: Das ist das Problem. Der Konferenzraum hier im Hause ist zu klein.

Franz Fischer: Das ist kein Problem! Rufen Sie ein Hotel an. Sie finden schnell einen Konferenzraum für 30 Personen.

Aufgaben/*Assignments* _____

A   Was verstehen Sie?/*What do you understand?*

   1 Wann ist die Winterpräsentation?

   2 Wieviele Personen kommen?

   3 Was ist das Problem mit dem Konferenzraum bei Continental?

   4 Was macht Renate Knopf?

B   Der/die/das?

Here are some important words from the dialogue, listed under *der/die/das*:

der	**die**	**das**
der Konferenzraum	die Sache	das Problem

Now look up the following words in the vocabulary list at the back of the book and enter them under *der/die/das*:

Moment   Person   Haus   Zeit   Winter   Präsentation

C   Sprechen Sie Deutsch!

Listen to the dialogue again and then ask a partner these questions:

Do you have a moment?
What can I do for you?

Now ask your partner to phone a hotel

Dialog 2 _____

Frau Knopf telefoniert

 Lesen Sie diese Ausdrücke. Dann hören Sie der Kassette zu.

Mein Name ist . . .	*My name is . . .*
Hat das Hotel einen Konferenzraum?	*Does the hotel have a meeting room?*
Ja, sicher	*Yes, of course*
Kann ich weitere Informationen bekommen?	*Can I have more information?*
Wie ist die Adresse?	*What is the address?*
bitte	*please*

Andreas Breitner:	Hotel Europa, guten Morgen.
Renate Knopf:	Guten Morgen. Mein Name ist Knopf, Firma Continental.
Andreas Breitner:	Ja, Frau Knopf. Was kann ich für Sie tun?
Renate Knopf:	Die Firma Continental macht im September eine Präsentation. Hat das Hotel einen Konferenzraum für 30 Personen?
Andreas Breitner:	Ja, sicher. Wir haben zwei. Der Konferenzraum Berlin faßt 35 und der Konferenzraum Weimar faßt 45 Personen.

Renate Knopf: Ach, gut. Kann ich weitere Informationen bekommen?

Andreas Breitner: Natürlich. Ich schicke gern einen Konferenzprospekt. Wie ist die Adresse bitte?

Aufgaben

A Was verstehen Sie?

    1 Hat das Hotel einen Konferenzraum?

    2 Wie heißen die Räume?

    3 Wie groß ist der Konferenzraum Weimar?

    4 Was schickt Herr Breitner?

B Der/die/das

Look up these words from the dialogue in the vocabulary list at the back of the book and enter them under *der/die/das*, as you did before.

Name   Hotel   Firma   Adresse   Prospekt   Information

der	die	das

C Listen to both dialogues again and fill in the gaps.

    1 Die Winterpräsentation .... im September.

    2 Die Präsentation .... 30 Personen.

    3 Der Konferenzraum hier .... ist zu klein.

    4 Was kann ich für Sie ....?

    5 Kann ich weitere Informationen ....?

    6 Wie ist die .... bitte?

D Listen to both dialogues again and join the statements together to tell the story.

Haben Sie	macht eine Präsentation.
Das ist doch	einen Konferenzraum.
Sie finden schnell	einen Moment Zeit?
Mein Name ist	kein Problem.
Firma Continental	für 45 Personen.
Der Konferenzraum Weimar ist	Knopf.

E Sprechen Sie Deutsch!

Look at these pictures and the statements. Match the sentence to the picture. Then tell your partner what each character is saying.

1 Die Winterpräsentation ist im September.

2 Der Konferenzraum hier im Hause ist zu klein.

3 Guten Morgen. Mein Name ist Knopf, Firma Continental.

4 Wie ist die Adresse bitte?

Dialog 3 ─────────────────────────────

Franz Fischer möchte das Hotel Europa sehen.

 Lesen Sie diese Ausdrücke. Dann hören Sie der Kassette zu.

Hier ist der Prospekt	*Here is the brochure*
Was für ein Hotel ist das?	*What is the hotel like?*
mittelgroß	*medium-sized*
nicht weit	*not far*
Wie groß ist der Konferenzraum?	*How big is the meeting room?*
Machen Sie für morgen einen Termin	*Make an appointment for tomorrow*
Ich möchte das Hotel sehen	*I'd like to see the hotel*

Renate Knopf:	Herr Fischer, hier ist der Prospekt für das Hotel Europa.
Franz Fischer:	Ach, das ist interessant. Ich kenne das Hotel nicht. Was für ein Hotel ist das?
Renate Knopf:	Modern, mittelgroß, nicht sehr weit von hier.
Franz Fischer:	Und wie groß ist der Konferenzraum?
Renate Knopf:	Der Konferenzraum Berlin faßt 35, der Konferenzraum Weimar faßt 45 Personen.
Franz Fischer:	Gut. Frau Knopf, rufen Sie bitte das Hotel an, und machen Sie für morgen einen Termin. Ich möchte das Hotel sehen!

Aufgaben

A   Was verstehen Sie?

1 Kennt Herr Fischer das Hotel Europa?

2 Was für ein Hotel ist das?

3 Was macht Frau Knopf?

4 Wann möchte Herr Fischer das Hotel sehen?

B   Hören Sie zu!

1 Listen to the audio-cassette and write down the numbers:

eins	fünf	neun
zwei	sechs	zehn
drei	sieben	elf
vier	acht	zwölf

2 Listen to the audio-cassette and fill in the missing information:

a Das Hotel hat .... Konferenzräume.

b Der Konferenzraum Monaco faßt .... Personen.

c Die Adresse ist Mozartstraße ....

d Die Temperatur ist .... Grad.

3 Listen to the audio-cassette and write down the telephone numbers you hear.

C **Was sagen Sie?**

Give the correct form of the verb in brackets.

zum Beispiel/e.g.

Kennen Sie Frau Knopf?
Nein, ich kenne Franz Fischer

Nein, ich [kennen] Franz Fischer

Haben Sie Zeit?

Ja, ich [haben] Zeit

....

Kennen Sie das Hotel Europa?

Nein, ich [kennen] das Hotel nicht

....

Machen wir die Präsentation?

Nein, Firma Continental [machen] die Präsentation

....

Findet Herr Breitner die Adresse?

Nein, ich [finden] die Adresse

....

Kommen Sie um neun?

Nein, wir [kommen] um elf

....

Was kann ich für Sie tun?

[Machen] Sie einen Termin für morgen

....

Wie finden Sie das Hotel?

Ich [finden] das Hotel schön

....

Was schicken Sie, Herr Breitner?

Ich [schicken] einen Prospekt

....

D **Wie ist das Hotel?**

Study the extract from the relexa hotel, Ratingen, brochure on the next page. Then complete the information checklist.

Adresse:
Telefonnummer:
Zimmer:
Suiten:
Selbstwahltelefon in allen Zimmern: ja/nein
Veranstaltungsräume:
Business-Lounge:
Restaurant:
Fitneß-Center mit . . .
Garage für . . . Autos

RATINGEN
DÜSSELDORF

In optimaler verkehrsgünstiger Lage, nur 5 Minuten vom Flughafen und 10 Minuten vom Messegelände Düsseldorf entfernt. Der neue Treffpunkt für Geschäftsreisende.

158 Komfortzimmer, 11 Suiten, alle mit Bad/Dusche, WC, Fön, Selbstwahltelefon, Farbfernseher, Radio und Minibar.

6 Veranstaltungsräume bis 200 Personen.

Restaurant „Brasserie", Boulevard-Café, Hotelbar.

Fitness-Center, Sauna, Solarium, Dampfbad, Hot Whirlpool.

Business-Lounge.

Über 100 Garagen- und Parkplätze.

relexa hotel
Berliner Straße 95–97
4030 Ratingen 3
Telefon 02102/458-0
Telex 8589108
Telefax 02102/458599

Dialog 4

Renate Knopf organisiert einen Besuch im Hotel Europa.

 Lesen Sie diese Ausdrücke. Dann hören Sie der Kassette zu.

Meine Firma braucht . . .	*My company needs . .*
mein Chef	*my boss*
morgen	*tomorrow*
Wann möchte er kommen?	*When does he want to come?*
Geht das?	*Is that all right?*
unsere Bankettleiterin	*our meetings services manager (female)*
Wie ist der Name?	*What name is it?*
auf Wiederhören	*goodbye (on the phone)*

Andreas Breitner:	Ja, guten Morgen, Frau Knopf. Was kann ich für Sie tun?
Renate Knopf:	Herr Breitner, meine Firma braucht im September einen Konferenzraum für 30 Personen. Kann mein Chef morgen den Konferenzraum Berlin besichtigen?
Andreas Breitner:	Ja, sicher. Wann möchte Ihr Chef kommen?
Renate Knopf:	Um elf; geht das?
Andreas Breitner:	Kein Problem. Frau Zimmermann, unsere Bankettleiterin, ist morgen im Hause. Wie ist der Name bitte?
Renate Knopf:	Franz Fischer – F I S C H E R – Firma Continental.
Andreas Breitner:	Gut, Herr Fischer kommt morgen um elf. Vielen Dank, Frau Knopf. Auf Wiederhören.
Renate Knopf:	Auf Wiederhören, Herr Breitner.

Aufgaben

A   Was verstehen Sie?

   1 Wann kommt Herr Fischer?

   2 Was möchte er besichtigen?

   3 Wie heißt die Bankettleiterin?

   4 Ist sie morgen im Hause?

B   Buchstabieren Sie bitte!

   1 Listen to the audio-cassette and repeat the alphabet in the gaps provided.

   2 Listen to the audio-cassette and write down the names spelled out to you.

   3 Listen to the audio-cassette and spell out the words given to you.

C   Ein Spiel

   1 Mark the following people and objects at points on the grid on the next page:

a Adresse	**g** Konferenzraum
b Andreas Breitner	**h** Präsentation
c Firma Continental	**i** Prospekt
d Franz Fischer	**j** Sauna
e Hotel Europa	**k** Termin
f Renate Knopf	**l** Petra Zimmermann

   zum Beispiel: Adresse = C10

   2 Find out from your partner where he/she has marked these people and objects on his/her grid.

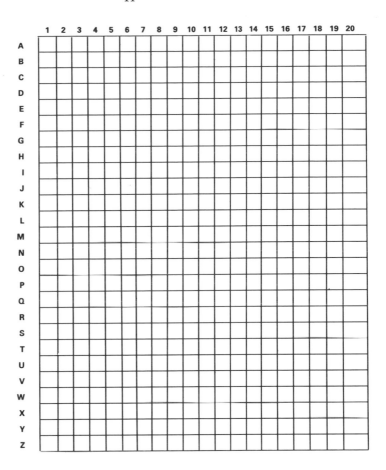

	1	2	3	4	5	6	7	8	9	10	11	12	13	14	15	16	17	18	19	20
A																				
B																				
C																				
D																				
E																				
F																				
G																				
H																				
I																				
J																				
K																				
L																				
M																				
N																				
O																				
P																				
Q																				
R																				
S																				
T																				
U																				
V																				
W																				
X																				
Y																				
Z																				

Deutschland/*Germany*

Die Bundesrepublik Deutschland/*The Federal Republic of Germany*

WICHTIGE INFORMATIONEN/*IMPORTANT INFORMATION*

| **Hauptstadt/***Capital* | Berlin |
| **Regierungssitz/***Seat of government* | Bonn → Berlin |

Bundesländer/ *Federal States*	**Landeshauptstädte/** *State Capitals*	**Bundesländer/** *Federal States*	**Landeshauptstädte/** *State Capitals*
Baden-Württemberg	Stuttgart	Nordrhein-Westfalen	Düsseldorf
Bayern	München	Rheinland-Pfalz	Mainz
Brandenburg	Potsdam	Saarland	Saarbrücken
Hessen	Wiesbaden	Sachsen	Dresden
Mecklenburg-Vorpommern	Schwerin	Sachsen-Anhalt	Magdeburg
		Schleswig-Holstein	Kiel
Niedersachsen	Hannover	Thüringen	Erfurt

und die zwei Stadtstaaten/*and the two city states* Bremen Hamburg

Deutschlands Länder

DÄNEMARK

SCHLESWIG-HOLSTEIN

Kiel

MECKLENBURG-VORPOMMERN

Hamburg

Schwerin

Bremen

NIEDERLANDE

NIEDERSACHSEN

BRANDEN-

POLEN

Magde-burg

Hannover

Potsdam

Berlin

NORDRHEIN WESTFALEN

SACHSEN-ANHALT

BURG

Düsseldorf

BELGIEN

Erfurt

SACHSEN

Dresden

HESSEN

THÜRINGEN

RHEINLAND-PFALZ

Wiesbaden

LUXEMBURG

Mainz

TSCHECHOSLOWAKEI

Saarbrücken

SAAR-LAND

Stuttgart

BAYERN

FRANKREICH

BADEN WÜRTTEMBERG

München

SCHWEIZ

ÖSTERREICH

Herr, Frau oder Fräulein?

The Germans prefer a formal approach. Even after many years of working together, colleagues will often avoid first names and address each other as *Herr* Breitner/*Frau* Zimmermann, or sometimes (and with more distance) as *Herr Kollege/Frau Kollegin* (literally Mr/Mrs Colleague).

Many German managers have academic titles which are also used in daily routine contact, e.g. *Herr Doktor*. Senior people are often addressed also by their function, e.g. *Frau Direktorin*.

Frau is widely used to address women, regardless of marital status. *Frau* is also used as the German equivalent of *Ms*; frequently, this will be translated into English as *Mrs* in a well-intentioned, but unsuccessful, attempt to be polite by avoiding *Miss*. *Fräulein* (Miss) is reserved mainly as the correct way to address a waitress or to talk to girls and young women below the age of 18 or so, but this is falling into disuse.

Jetzt sprechen Sie

Sie können:

- *interrupt someone politely*
  Haben Sie einen Moment Zeit?

- *offer help*
  Was kann ich für Sie tun?

- *give a simple command*
  Rufen Sie ein Hotel an

- *introduce yourself*
  Mein Name ist Knopf, Firma Continental

- *ask simple questions*
  Hat das Hotel einen Konferenzraum für dreißig Personen?

- *ask what things are like in general*
  Wie ist das Hotel?

- *ask what things are like in particular*
  Wie groß ist der Konferenzraum?

- *say what you would like to do*
  Ich möchte das Hotel kennenlernen

- *ask whether something is possible*
  Kann mein Chef morgen den Konferenzraum Berlin besuchen?

- *ask about time*
  Wann möchte er kommen?

- *ask for a person's name*
  Wie ist der Name?

- *spell your name*
  F-I-S-C-H-E-R

Darf ich vorstellen?

In Stage 2, you will learn how to
- introduce yourself and others
- give details of your job and your company
- offer and accept refreshments
- make appointments

Petra Zimmermann, meetings services manager at Hotel Europa and Andreas Breitner, front-of-house manager, prepare for Herr Fischer's visit. Petra Zimmermann checks that she has all the documents she needs.

● ● ●

Franz Fischer, sales manager at Continental, and Renate Knopf, his assistant, arrive at Hotel Europa to see for themselves. They introduce themselves to Petra Zimmermann and Andreas Breitner.

Vorbereitung

Hier ist meine Karte

ke kabelmetal electro
Gesellschaft mit beschränkter Haftung

Wilhelm Steinriede
Dipl.-Kfm.

Prokurist
Produktbereich
Nachrichtentechnik
und Anlagen

Postfach 2 60

Kabelkamp 20
3000 Hanover 1
Telefon (05*1) 6 76-37 23
Telefax (0511) 7 76-37 62
Telex 9 22 711/9 23 800

SEL
ALCATEL

Wolfgang Frank
Dipl.-Ing., Dipl.-Wirtsch.-Ing.
Manager Product Engineering

Standard Elektrik Lorenz AG
Lorenzstrasse 10
D-7000 Stuttgart 40 (Zuffenhausen)
Germany
Phone (0711) 8 21-39 35
Telex 72 526-0
Telefax (0711) 8 21-59 42

British Steel BLUME

Manfred Stieler

Geschäftsführer

British Steel– Walter Blume
Handels GmbH
Kriegsbergstraße 11
7000 Stuttgart 1
Telefon (0711) 2272-100
Telefax (0711) 2261773

Continental

Rainer Braun
Leiter
Unternehmensplanung

Continental
Aktiengesellschaft
Königsworther Platz 1
Postfach 169
3000 Hannover 1

Telefon (0511) 6 57 53 92
privat (0511) 72 14 28
Telefax (0511) 6 57 61 33
Teletex (0511) 3925118 Grn d
Telex 70219

Welche Informationen fehlen?

	Firma kabelmetal electro GmbH	Firma SEL Alcatel	Firma Walter Blume GmbH	Firma Continental AG
Name			Manfred Stieler	
Stelle		Manager		
Titel	Dipl.-Kfm			
Abteilung				Unternehmens-planung

1 Wer ist Geschäftsführer?

2 Wer arbeitet bei der Firma Continental?

3 Wo arbeitet Manfred Stieler?

4 Welche Stelle hat Wilhelm Steinriede?

5 Wolfgang Frank hat zwei Titel. Was sind sie?

Dialog 1

Was möchte Herr Fischer? Ist alles in Ordnung?

 Lesen Sie diese Ausdrücke. Dann hören Sie der Kassette zu.

Wie sind die Termine für heute?	*What appointments are there today?*
bei Continental	*at/from/with Continental*
nicht so schnell	*not so fast*
Ich bin nicht sicher	*I'm not sure*
Ich komme gleich wieder	*I'll be back in a minute*

Petra Zimmermann:	So, Herr Breitner. Wie sind die Termine für heute?
Andreas Breitner:	Sie haben zwei Termine. Herr Fischer kommt um elf, und das Verkehrsamt kommt um vierzehn Uhr.
Petra Zimmermann:	Schön. Und wer ist Herr Fischer bitte?
Andreas Breitner:	Herr Fischer ist Verkaufsleiter für Deutschland – bei Continental. Er möchte den Konferenzraum Berlin besichtigen.
Petra Zimmermann:	Der Konferenzraum Berlin? Ist er heute frei?
Andreas Breitner:	Ja. Bis vierzehn Uhr. Das ist kein Problem. Ist das alles, Frau Zimmermann?
Petra Zimmermann:	Nicht so schnell, Herr Breitner. Einen Moment bitte. Die Preisliste ist neu. Ist sie fertig? Und das Restaurant? Ist es heute voll?
Andreas Breitner:	Ich weiß nicht. Ich kann nachfragen. Ich komme gleich wieder.

Aufgaben

A Was verstehen Sie?

1 Wer ist Herr Fischer?

2 Wann kommt er?

3 Was möchte er besichtigen?

4 Ist der Konferenzraum Berlin heute frei?

B Answer the following questions with *ja/nein*, as indicated. Replace the words in italics with *er, sie, es*, as appropriate

z.B. Ist *die Firma* klein?

Ja, ...
Ja, sie ist klein

1 Hat *der Chef* Zeit?   **1** Ja, ...

2 Ist *das Problem* im Konferenzraum neu?   **2** Nein, ...

3 Kommen *die Verkaufsleute* im September?   **3** Ja, ...

4 Möchte *das Verkehrsamt* einen Prospekt haben?   **4** Ja, ...

5 Ist *der Konferenzraum* frei?   **5** Nein, ...

6 Kommt *Ihre Frau* morgen?   **6** Ja, ...

7 Wie ist *Ihr Büro*? Groß?   **7** Nein, ...

8 Sind *die Preislisten* in Ordnung?

8 Ja, ...

9 Haben *die Konferenzräume* Namen?

9 Ja, ...

10 Besichtigt *der Herr* morgen die Hotels?

10 Nein, ...

C **Welche Termine haben wir heute?**

	Frau Zimmermann	Restaurant	Berlin	Weimar
VORMITTAG 6.00		offen		
7.00		Frühstück		
8.00	Herr Breitner			
9.00		geschlossen		Firma Weiß
10.00				
11.00	Continental			
MITTAG 12.00		offen		
13.00	Mittagspause	Mittagessen		
NACHMITTAG 14.00	Verkehrsamt			
15.00		geschlossen		Kaffeepause
16.00				
ABEND 17.00			Presseempfang	
18.00		offen		frei
19.00				
20.00		voll		
21.00				
22.00		geschlossen		

Hören Sie der Kassette zu, und beantworten Sie diese Fragen:

1 Wann ist der Presseempfang?

2 Wann öffnet das Restaurant am Abend?

3 Welche Firma ist heute im Konferenzraum Weimar?

4 Wann hat das Verkehrsamt einen Termin mit Frau Zimmermann?

5 Bis wann ist Frühstück?

6 Ist der Konferenzraum Berlin heute frei?

7 Wann ist das Restaurant heute abend voll?

8 Wann macht Firma Weiß eine Kaffeepause?

9 Wann hat Frau Zimmermann einen Termin mit Firma Continental?

10 Es ist 8 Uhr. Was macht Herr Breitner?

Dialog 2

Haben wir die Unterlagen?

 Lesen Sie diese Ausdrücke. Dann hören Sie der Kassette zu.

Hier sind sie	*Here they are*
Wo ist es?	*Where is it?*
in Ordnung	*alright*

Andreas Breitner:	Ich habe die Unterlagen Frau Zimmermann. Hier sind sie.
Petra Zimmermann:	So, was haben wir? Den Raumplan für den Konferenzraum Berlin, das Menü für heute . . . sind die Buchungslisten auch dabei?
Andreas Breitner:	Ja, ich habe sie.
Petra Zimmermann:	Richtig. Danke schön. Brauchen wir auch den Raumplan für den Konferenzraum Weimar?
Andreas Breitner:	Gute Idee. Ich bringe ihn sofort.
Petra Zimmermann:	Danke. So, in Ordnung.
	(das Telefon klingelt)
	Zimmermann.
Empfang:	Frau Zimmermann, Herr Fischer und Frau Knopf sind da.
Petra Zimmermann:	Schön. Herr Breitner kommt sofort.

Aufgaben

A Was verstehen Sie?

1 Welche Unterlagen hat Frau Zimmermann?

2 Was braucht sie noch?

3 Wer ist am Telefon?

4 Was sagt der Empfang?

B   Answer the following questions as indicated, replacing the words in italics with *ihn*, *sie*, *es*, or inserting the correct form *der/den*, *die* or *das*, as appropriate.

z.B. Möchte sie *den Raum* haben?
Ja, ...
Ja, sie möchte ihn haben

1 Wann kann er *das Hotel* kennenlernen?

1 Er kann .... morgen kennenlernen

2 Kennt sie *das Restaurant*?

2 Nein, ...

3 Haben Sie *den Prospekt*?

3 Nein, ...

4 Wie finden Sie *die Raumpläne*?

4 Ich finde .... zu klein

5 Wann braucht er *die Listen*?

5 Er braucht .... im Winter

6 Können wir .... Verkehrsamt anrufen?

7 Wann besucht .... Verkaufsleiter .... Firma?

8 Bringen Sie .... Unterlagen, bitte

9 Ich kann .... Raumplan nicht finden!

10 Meine Assistentin schickt .... Sachen morgen

C   **Einen Termin telefonisch vereinbaren**

	Frau Zimmermann	Restaurant	Berlin	Weimar
VORMITTAG 6.00		offen		
7.00		Frühstück		
8.00	Herr Breitner			
9.00		geschlossen		Firma Weiß
10.00				
11.00	Continental			
MITTAG 12.00		offen		
13.00	Mittagspause	Mittagessen		
NACHMITTAG 14.00	Verkehrsamt			
15.00		geschlossen		Kaffeepause
16.00				
ABEND 17.00			Presseempfang	
18.00		offen		frei
19.00				
20.00		voll		
21.00				
22.00		geschlossen		

Diese Personen machen einen Termin.
Was sagen Sie? Sie haben diese Alternativen.

Guten Tag   Was kann ich für Sie tun?
Ja   Wann möchten Sie kommen?
Nein   Wie ist der Name bitte?
um . . . Uhr

z.B. Kann ich den Konferenzraum Berlin besichtigen?
Sie sagen: Wann möchten Sie kommen?

1 Kann ich heute den Konferenzraum Berlin besichtigen?

....

Um 14 Uhr. Geht das?

....

Der Name ist Berg

2 Ist das Restaurant heute mittag voll?

....

Kann ich einen Tisch für vier Personen reservieren?

....

Ist 12.30 in Ordnung?

....

Der Name ist Schubert

3 Ich möchte einen Termin mit Frau Zimmermann.

....

Ist sie heute um elf Uhr frei?

....

Geht es um sechzehn Uhr?

....

Gut, der Name ist Graf.

Dialog 3

Petra Zimmermann und Andreas Breitner begrüßen Firma Continental.

 Lesen Sie diese Ausdrücke. Dann hören Sie der Kassette zu.

Es freut mich	*I'm pleased (to meet you)*
Darf ich . . . vorstellen?	*May I introduce . . . ?*
Hier ist meine Karte	*Here's my card*
Gehen wir in mein Büro	*Let's go into my office*

Andreas Breitner:	Frau Knopf. Es freut mich. Willkommen im Hotel Europa.
Renate Knopf:	Danke, Herr Breitner. Darf ich meinen Chef vorstellen? Herr Fischer, das ist Herr Breitner. Herr Breitner, das ist Herr Fischer.
Andreas Breitner:	Herr Fischer, es freut mich sehr. Darf ich Frau Zimmermann, unsere Bankettleiterin, vorstellen?
Franz Fischer:	Guten Tag Frau Zimmermann. Fischer. Hier ist meine Karte. Darf ich meine Assistentin, Frau Knopf, vorstellen.
Petra Zimmermann:	Zimmermann. Willkommen Frau Knopf. Kennen Sie unser Hotel schon?
Renate Knopf:	Das Hotel kenne ich nicht, aber ich kenne Ihr Restaurant. Ich finde es sehr gut.
Petra Zimmermann:	Das freut mich. So, gehen wir in mein Büro. Dort haben wir eine Erfrischung für Sie.

Aufgaben

A   Was verstehen Sie?

   1 Wo sind Renate Knopf und Franz Fischer?

   2 Kennt Renate Knopf das Hotel?

   3 Was hat Frau Zimmermann für die Gäste?

   4 Wo ist die Erfrischung?

 B Put the correct ending on to *mein, Ihr, sein, ihr, unser,* as appropriate.

   z.B. Ist Ihr . . . Büro (*das*) neu?
       Ist Ihr Büro neu?

   1 Mein........ Chef (*der*) ist heute nicht im Hause

   2 Sein....... Firma (*die*) hat Kontakte in Deutschland

   3 Ihr....... Problem (*das*) ist nicht neu

   4 Wir finden sein....... Plan (*der*) richtig

   5 Haben Sie unser....... Karte (*die*) schon?

   6 Ich kenne Ihr....... Assistentin (*die*) nicht

   7 So, ihr....... Prospekte (*der*) sind schnell fertig

   8 Ich habe mein....... Pläne (*der*) nicht hier im Hause

   9 Wann besuchen Sie unser....... Restaurant (*das*)?

   10 Finden Sie sein....... Termin (*der*) realistisch?

C   Hier ist meine Karte

Franz Fischer Verkaufsleiter Firma Continental AG	**Petra Zimmermann** *Bankettleiterin* Hotel Europa

Stellen Sie sich vor!

zum Beispiel: Mein Name ist Franz Fischer
Ich bin Verkaufsleiter bei Firma Continental

1	Petra Zimmermann	Bankettleiterin	Hotel Europa
2	Georg Koch	Personaldirektor	Kleinbau GmbH
3	Renate Knopf	Verkaufsassistentin	Firma Continental
4	Horst Stockmayr	Leiter des Bildungswesens	kabelmetal
5	Sabine Reichelt	Journalistin	'Frau und Beruf'

D   Stellen Sie Ihren Mitarbeiter vor!

zum Beispiel: Darf ich .... meinen Chef vorstellen?
Darf ich .... meine Kollegin vorstellen?

1	Renate Knopf	meine Assistentin
2	Andreas Breitner	unser Empfangschef
3	Wilhelm Langer	unser Verkaufsdirektor
4	Petra Zimmermann	unsere Bankettleiterin
5	Manfred Ebstein	mein Steuerberater

E   Stellen Sie zwei Mitarbeiter Herrn Fischer vor!

Sie sind	Sie stellen vor	Was sagt Herr Fischer?
Georg Koch	Renate Knopf und Manfred Ebstein	Es freut mich sehr
Wilhelm Langer	Georg Koch und Sabine Reichelt	Guten Tag, Fischer
Sabine Reichelt	Petra Zimmermann und Georg Koch	Willkommen
Horst Stockmayr	Wilhelm Langer und Andreas Breitner	Hier ist meine Karte

z.B. Herr Fischer, darf ich vorstellen?
Das ist ...., mein/meine .... und ....,
unser/unsere ....
Es freut mich sehr

F   Ein Termin mit Frau Zimmermann

Dialog 4

Im Büro bietet Petra Zimmermann eine Erfrischung an. Andreas Breitner beschreibt das Hotel.

 Lesen Sie diese Ausdrücke. Dann hören Sie der Kassette zu.

Kommen Sie herein	*Come in*
Wir haben etwas für Sie	*We've got something for you*
zum Beispiel	*for example*
über 100 Weine	*more than 100 wines*
Die müssen wir mal probieren	*We shall have to try them sometime*
Wollen wir Platz nehmen?	*Shall we sit down?*

Petra Zimmermann:	Wie trinken Sie Ihren Kaffee, Frau Knopf?
Renate Knopf:	Mit Sahne aber ohne Zucker, bitte.
Petra Zimmermann:	Und Sie, Herr Fischer?
Franz Fischer:	Haben Sie vielleicht einen Tee oder ein Mineralwasser?
Petra Zimmermann:	Einen Tee mit Zitrone?
Franz Fischer:	Ja, bitte.
Petra Zimmermann:	So, meine Damen und Herren, wollen wir vielleicht Platz nehmen?
Franz Fischer:	Vielen Dank, Herr Breitner, für Ihren Prospekt. Ich persönlich kenne Ihr Hotel nicht. Wie groß ist es?
Andreas Breitner:	Wir haben 114 Zimmer mit Bad, 2 Konferenzräume und ein Fitneßzentrum mit Schwimmbad und Sauna. Unser Restaurant hat Platz für 150 Personen.
Petra Zimmermann:	Es ist auch sehr bekannt. Unsere Weinkarte, zum Beispiel, hat über 100 Weine.
Franz Fischer:	Die müssen wir mal probieren!

Aufgaben

A **Was verstehen Sie?**

1 Wie möchte Frau Knopf ihren Kaffee trinken?

2 Was trinkt Herr Fischer?

3 Kennt Herr Fischer das Hotel?

4 Wie groß ist das Restaurant?

B You've made a note of things you need to ask for. Ask for them, using the phrase given alongside.

z.B. Kaffee (*der*)
Haben Sie einen Kaffee?

1 Mineralwasser (*das*)	Haben Sie .... Mineralwasser?
2 Zimmer (*das*)	Haben Sie .... Zimmer?
3 Weinkarte (*die*)	Haben Sie .... Weinkarte?
4 Preisliste (*die*)	Haben Sie .... Preisliste?
5 Moment (*der*)	Haben Sie .... Moment?

z.B. Kaffee (*der*)/dürfen
Darf ich einen Kaffee haben?

6 Mineralwasser (*das*)/ können	.... ich .... Mineralwasser habe
7 Prospekt (*der*)/können	.... er........... Prospekt haben?

8 Weinkarte (*die*)/dürfen .... *ich* .... *Weinkarte sehen?*

9 Preisliste (*die*)/können .... *Sie* .... *Preisliste bringen?*

10 Moment (*der*)/dürfen .... *ich* .... *Moment kommen?*

C **Rollenspiel: eine Erfrischung für Sie?**

Geben Sie folgende Informationen:

1 Ihren Namen

2 Ihre Stelle

3 Ihre Firma

Was möchten Sie trinken? (Kaffee mit/ohne, Tee mit/ohne, Mineralwasser, Apfelsaft, nichts usw.)

• •

Deutschland

Was für ein Land ist die Bundesrepublik?

Wo liegt sie?	in Mitteleuropa
Wieviele Einwohner hat sie?	79 Millionen
Was für ein politisches System hat sie?	parlamentarisch-demokratisch
Wie heißt das Parlament?	der Bundestag
Wie heißt das Oberhaus?	der Bundesrat
Wer ist Staatsoberhaupt?	der Bundespräsident
Wer ist Regierungschef?	der Bundeskanzler

Wie ist die Landschaft:
   im Norden?
   in der Mitte?

   und im Süden?
Hat die Bundesrepublik eine Küste?

flach; das ist die Norddeutsche Tiefebene
viel Wald und Gebirge; das ist das
   deutsche Mittelgebirge
dort sind die Alpen und das Alpenvorland
ja, sie hat eine Nordseeküste und eine
   Ostseeküste

Meeting and Greeting

The Germans are good at greetings; they often say hello in passing and may feel put out if their greeting is not returned. In hotel restaurants, for example, it is customary to say *Guten Morgen* on entering for breakfast, even though you may not know anyone else in the room. Likewise, it is usual to say *Auf Wiedersehen* on leaving. The same applies to some other general situations, such as entering or leaving a railway carriage, arriving or departing from company reception, and going into or leaving restaurants, bars and small shops.

Some standard greetings

● in the day time

Guten Morgen	used to start the day
Guten Tag	used most of the day, up to late afternoon

Grüß Gott	used in Southern Germany and Austria in preference to *Guten Morgen/Guten Tag*
Auf Wiedersehen	to say goodbye

● in the evening

Guten Abend	used until mid/late evening
Gute Nacht	used to wish someone good night

Some colloquial greetings

Servus	used in Austria to say 'hello'
Tschüß	used in Germany to say 'goodbye'

and finally

Auf Wiederhören	to say 'goodbye' on the phone

●●

Jetzt sprechen Sie

Sie können:

- *say when events take place*
  Herr Fischer kommt um elf

- *say what people would like to do*
  Er möchte den Konferenzraum Berlin besichtigen

- *excuse yourself for a short while*
  Ich komme gleich wieder

- *hand things over*
  Hier sind die Unterlagen

- *check what else is needed*
  Brauchen wir auch den Raumplan für Weimar?

- *confirm that everything is alright*
  in Ordnung

- *welcome someone*
  Willkommen im Hotel Europa

- *introduce someone*
  Darf ich meinen Chef vorstellen?

- *find out what a person is familiar with*
  Kennen Sie unser Hotel schon?

- *suggest doing something*
  Gehen wir in mein Büro

- *offer refreshments*
  Was möchten Sie trinken?

- *say thank you for something*
  Vielen Dank für Ihren Prospekt

- *invite someone to take a seat*
  Nehmen Sie bitte Platz

3 Was macht Ihre Firma?

In Stage 3, you will practise

- stating your purpose
- agreeing an agenda
- giving some information about your company
- describing locations

After coffee, Petra Zimmermann, Renate Knopf, Andreas Breitner and Franz Fischer begin to discuss Continental's requirements in detail. The group then works out a mutually acceptable plan for the tour and the discussions.

• • •

Having agreed procedure, Petra Zimmermann and Renate Knopf discuss the timing of the visit. The timing is particularly important, since Franz Fischer has to get back to the office for an appointment.

• • •

The visit begins at reception with a discussion on how to accommodate those participants who will want to smoke.

Vorbereitung

Continental Aktiengesellschaft: Der Konzern

In Europa gehören heute zum Konzernbereich Reifen 14 Werke, darunter beispielsweise die Continental Industrias del Caucho SA in Madrid, die Pneu Uniroyal Englebert S.A. in Herstallez-Liège, die Semperit Ltd. in Dublin und die Vergölst GmbH in Bad Nauheim. Auch die Stammfabriken in Stöcken und Korbach gehören zu dieser Gruppe. Das zweite Bein, auf dem der Konzern steht, ist der Bereich Technische Produkte. Hier sorgen zwölf Betriebe in der Bundesrepublik Deutschland zwischen Northeim und Aachen, Dannenberg und Kerpen-Sindorf für steigenden Umsatz.

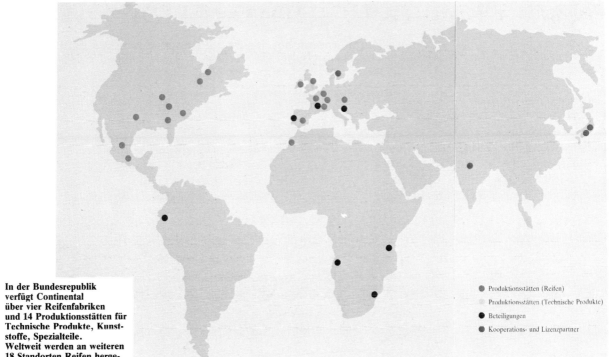

In der Bundesrepublik
verfügt Continental
über vier Reifenfabriken
und 14 Produktionsstätten für
Technische Produkte, Kunst-
stoffe, Spezialteile.
Weltweit werden an weiteren
18 Standorten Reifen herge-
stellt (9 Fabriken in Nord-
amerika). Daneben gibt es
zahlreiche Beteiligungen.

Produktionsstätten (Reifen)
Produktionsstätten (Technische Produkte)
Beteiligungen
Kooperations- und Lizenzpartner

Kurzinformationen über Continental.
Füllen Sie dieses Informationsblatt aus:

Reifenfabriken in der Bundesrepublik:

_ _ _ _ _ _ _ _ _ _ _ _ _ _ _ _

Fabriken in Nord-Amerika:

_ _ _ _ _ _ _ _ _ _ _ _ _ _ _ _

Die Firma in Madrid heißt:

_ _ _ _ _ _ _ _ _ _ _ _ _ _ _ _

Die Firma in Dublin heißt:

_ _ _ _ _ _ _ _ _ _ _ _ _ _ _ _

Zwölf Betriebe in der Bundesrepublik für:

_ _ _ _ _ _ _ _ _ _ _ _ _ _ _ _

Dialog 1

Petra Zimmermann beschreibt die Konferenzräume. Franz Fischer erklärt sein Vorhaben.

 Lesen Sie diese Ausdrücke. Dann hören Sie der Kassette zu.

jawohl	*yes, indeed*
Genügt das?	*Is that enough?*
Das ist groß genug	*That's big enough*
Wir möchten unser Ziel erklären	*We'd like to explain our aim*
Wir vergleichen ihre Angebote	*We'll compare their offers*
Wir treffen unsere Entscheidung	*We'll make our decision*

Petra Zimmermann: Herr Fischer, was können wir für Sie tun?

Franz Fischer: Wir suchen einen Konferenzraum für unsere Winterpräsentation. Ihr Hotel hat Konferenzräume, nicht wahr? Wir möchten sie besichtigen.

Petra Zimmermann: Jawohl, wir haben zwei. Sie haben unseren Prospekt, nicht wahr? Im Prospekt sehen Sie den Konferenzraum Weimar. Er ist für fünfundvierzig Personen. Unser Konferenzraum Berlin ist nicht so groß. Er faßt fünfunddreißig Personen. Genügt das?

Renate Knopf: Ja, das ist groß genug, nicht wahr Herr Fischer?

Franz Fischer: Wahrscheinlich. Aber einen Moment bitte. Wir möchten zuerst unsere Ziele und unsere Wünsche erklären. Dann möchten wir Ihre Bedingungen hören. Wir besuchen drei Hotels insgesamt. Wir vergleichen ihre Angebote und wir treffen unsere Entscheidung in zwei Wochen. Geht das?

Andreas Breitner: Ja, das geht – nicht wahr, Frau Zimmermann?

Aufgaben

A   Was verstehen Sie?

1 Was möchte Herr Fischer machen?

2 Was sagt Frau Knopf zu der Größe von Berlin

3 Wieviele Hotels besucht Firma Continental?

4 Wann trifft Firma Continental ihre Entscheidung?

B   You are visiting. Your host announces various things which are new to you. Say you don't know the following:

z.B.   Das ist unser Konferenzraum
Ich kenne Ihren Konferenzraum nicht

1 Hier ist unser Prospekt	1 ....
2 Hier ist unser Restaurant	2 ....
3 Hier ist mein Büro	3 ....
4 Mein Hotel ist das Hotel Europa	4 ....
5 Mein Chef kommt mit	5 ....
6 Der Raumplan ist neu	6 ....
7 Unsere Preisliste ist da	7 ....
8 Der Verkehrsverein ist nicht weit	8 ....
9 Der Empfang ist zu klein	9 ....
10 Unsere Speisekarte ist interessant	10 ....

C   Informing your visitor

Tell your visitors what you have for them. Follow the model indicated:

z.B.   die Karte
Wir haben *eine Karte* für Sie

1 der Raum	1 ....
2 die Frage	2 ....
3 das Buch	3 ....
4 die Broschüre	4 ....
5 die Erfrischung	5 ....
6 der Preis	6 ....
7 das Problem	7 ....
8 das Menü	8 ....
9 der Raumplan	9 ....
10 der Prospekt	10 ....

D   Was können wir für Sie tun?

Franz Fischer erklärt seine Wünsche

den Konferenzraum besichtigen

seine Entscheidung treffen

die Angebote vergleichen

einen Prospekt schicken

das Hotel Europa besuchen

die Bedingungen hören

Frau Knopf vorstellen

einen Tee mit Zitrone trinken

1 Wählen Sie mit einem Partner *vier* Wünsche für Herrn Fischer aus.

2 Präsentieren Sie Ihre Wahl nach folgendem Muster:
Zuerst möchte Herr Fischer . . .
Dann möchte er . . .
Dann . . .
Dann . . .

Dialog 2

Andreas Breitner macht einen Vorschlag für den Besuch.

Lesen Sie diese Ausdrücke. Dann hören Sie der Kassette zu.

Ich habe einen Vorschlag	*I have a suggestion*
einverstanden	*agreed*
Sind Sie damit einverstanden?	*Do you agree with that?*
Was meinen Sie?	*What do you think?*
Sonst noch etwas?	*Anything else?*
Ich glaube nicht	*I don't think so*

Andreas Breitner: Ich habe einen Vorschlag für unsere Diskussion. Wir kennen Sie noch nicht. Beginnen wir zuerst mit Firma Continental. Was macht Ihre Firma? Wer sind Ihre Kunden? Wo ist Ihr Hauptsitz? Wie arbeiten Sie? Und so weiter. Wir möchten unsere Kunden gut kennen, dann können wir ein Angebot machen.

Franz Fischer: Einverstanden, Herr Breitner. Der Vorschlag ist gut.

Andreas Breitner: Zweitens zeigen wir das Hotel. Wir machen einen Rundgang, besichtigen die Konferenzräume, das Restaurant, und die Bar natürlich!

Franz Fischer: Gut – besonders die Bar!

Petra Zimmermann:	Und drittens diskutieren wir Ihre Präsentation und den Raum. Sind Sie damit einverstanden?
Franz Fischer:	Aber ja. Was meinen Sie, Frau Knopf? Brauchen wir sonst noch etwas?
Renate Knopf:	Ich glaube nicht.

Aufgaben

A Was verstehen Sie?

  1 Wie möchte Herr Breitner die Diskussion beginnen?

  2 Was wollen sie dann machen?

  3 Wie wollen sie den Besuch beenden?

B Ich habe einen Vorschlag für unsere Diskussion

Frau Zimmermann hat diesen Vorschlag:

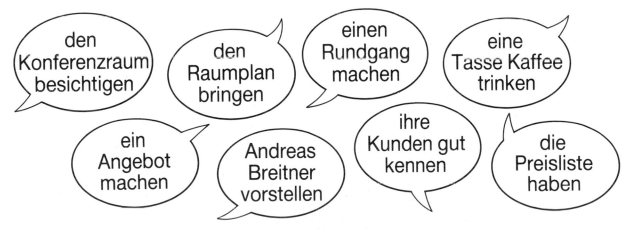

1 Wählen Sie mit einem Partner *vier* Vorschläge für Frau Zimmermann aus.

2 Machen Sie Ihre Vorschläge nach folgendem Muster:
Beginnen wir mit . . .
Zweitens . . .
Drittens . . .
Viertens . . .

zum Beispiel: Beginnen wir mit der Preisliste.
Zweitens machen wir . . .
Drittens . . .
Viertens . . .

C **Stating what you, and others, would like to do**

ich möchte   wir möchten
er/sie möchte   Sie/sie möchten

Give the correct form and the correct endings for *mein, sein, ihr, unser, Ihr, ein*.

z.B. Mein....... Assistentin .... ein....... Frage stellen
Meine Assistentin möchte eine Frage stellen

1 Ich .... sein....... Angebot sehen

2 Sie (*you*) .... unser....... Entscheidung hören, nicht wahr?

3 Er .... ihr....... Hotel kennenlernen

4 Sie (*she*) .... mein....... Bedingungen diskutieren

5 Wir .... ihr....... Prospekte zuerst vergleichen

6 Sie (*they*) .... Ihr....... Programm im September präsentieren

7 Sie (*you*) .... ein....... Moment warten, bitte

8 Mein....... Verkaufsleiterin .... mein....... Platz haben

9 Ihr....... Assistent .... ihr....... Unterlagen haben

10 Unser....... Herr Fischer .... Ihr....... Restaurant besuchen

D **Asking questions**

Use *nicht wahr?* to make the questions to give the answers indicated.

z.B. Ja, ich bin Verkaufsleiter
Sie sind Verkaufsleiter, *nicht wahr?*

1 Ja, wir kennen Ihre Bedingungen

2 Ja, mein Chef hat morgen Zeit

3 Ja, Sie können unseren Prospekt haben

4 Ja, ich trinke meinen Kaffee ohne Zucker

5 Nein, ihr Verkaufsleiter heißt Fischer

6 Nein, die Preisliste ist alt

7 Ja, er kennt das Hotel

8 Nein, ich habe Ihre Unterlagen nicht

9 Ja, wir haben *zwei* Konferenzräume

10 Ja, sie kann ihr Büro von hier sehen

Dialog 3

Wie lange dauert der Besuch?

Lesen Sie diese Ausdrücke. Dann hören Sie der Kassette zu.

Wie lange dauert die Besichtigung?	*How long will the visit last?*
Herr Fischer hat eine Verabredung	*Herr Fischer's got an appointment*
meiner Meinung nach	*in my opinion*
Wir hören zu	*We're listening*

Renate Knopf:	Einen Moment, Herr Fischer. Es ist jetzt elf Uhr fünfzehn. Entschuldigen Sie, Frau Zimmermann. Wie lange dauert die Besichtigung? Um zwölf Uhr dreißig müssen wir im Büro sein. Herr Fischer hat eine Verabredung.
Petra Zimmermann:	Ja, was meinen Sie, Herr Breitner? Sagen wir zehn Minuten für die Continental-Präsentation, zwanzig Minuten für die Besichtigung,

und dann ungefähr zwanzig bis fünfundzwanzig Minuten für die Diskussion. Genügt das?

Andreas Breitner: Meiner Meinung nach, ja. Was meinen Sie, Herr Fischer?

Franz Fischer: Ich finde den Vorschlag gut. Ich bin damit einverstanden.

Andreas Breitner: So, beginnen Sie bitte, Herr Fischer. Wir hören zu.

Aufgaben

A Was verstehen Sie?

1 Was ist das Problem für Herrn Fischer?

2 Wieviel Zeit rechnet Frau Zimmermann für den Besuch?

3 Wie findet Herr Fischer den Vorschlag?

B Finding out

Make the appropriate question to get the answer. Use *was, wie, wann, wo,* or *wer.*

z.B. Der Kunde geht *um fünf*
Wann geht der Kunde?

1 *Frau Knopf* kommt um elf

2 Er heißt *Fischer*

3 Unsere Kunden sind *überall in Europa*

4 Ich finde den Prospekt *zu klein*

5 Die Sommerpräsentation ist *im April*

6 Er hat *einen Vorschlag*

7 *Seine Sekretärin* kennt das Restaurant

8 Der Kaffee ist *im Büro*

9 Frau Knopf kommt *um elf*

10 Wir treffen unsere Entscheidung *in zwei Wochen*

C Emphasising

During your discussion you will want to give more emphasis to some points than to others. Re-arrange the following statements so that they begin with the words in italics.

z.B. Sie finden schnell *ein Hotel*
Ein Hotel finden Sie schnell

1 Er möchte *den Konferenzraum Berlin* sehen

2 Das Restaurant ist *heute* voll

3 Wir haben *den Raumplan* aber nicht die Preisliste

4 Ich kenne *Ihr Hotel* schon

5 Die Unterlagen liegen *im Büro*

6 Wir brauchen *weitere Informationen*

7 Sie kann *um elf* kommen

8 Unsere Verkaufsleiter sind *morgen* im Hause

9 Ich bin nicht *hundert Prozent sicher*

10 Wir möchten *zuerst* unser Ziel erklären

D **Beginnen wir mit Firma Continental**

Hören Sie der Kassette zu, und machen Sie Notizen nach folgendem Muster

	Firma Continental	Sichere Allianz	Dema Versicherung	Bella Kosmetik	Gebr. König
AG					
GmbH					
Hauptsitz					
Mitarbeiterzahl					
Hauptprodukt(e)					
Sprecher					
Stelle					
wie lange?					

E Beschreiben Sie die fünf Firmen auf Grund Ihrer Notizen.

zum Beispiel: *Sichere Allianz GmbH* hat ihren Hauptsitz in Frankfurt-am-Main.
Dema Versicherung GmbH hat 190 Mitarbeiter. Das Hauptprodukt ist . . .
Der Sprecher ist Georg Jäger. Er ist Personalleiter. Er arbeitet seit acht Jahren bei der Firma.

Dialog 4

Der Besuch beginnt am Empfang. Wo darf man rauchen?

 Lesen Sie diese Ausdrücke. Dann hören Sie der Kassette zu.

Die Kabinen sind drüben	*The phone booths are over there*
Es gibt auch eine Sitzecke	*There's a corner where you can sit*
Das müssen Sie entscheiden	*You have to decide that*
normalerweise	*normally*
in der Pause	*in the break*
im Gang	*in the corridor*
ein Problem für Ihre Leute	*a problem for your people*

Petra Zimmermann: Den Empfang kennen Sie schon. Herr Breitner und seine Mannschaft arbeiten hier. Vom Empfang aus können Sie telefonieren oder faxen. Die Kabinen sind drüben – neben der Garderobe. Es gibt auch eine Sitzecke. Dort kann man ruhig und bequem sitzen und lesen oder diskutieren.

Renate Knopf: Darf man hier eigentlich rauchen? Ich sehe nämlich keine Aschenbecher.

Andreas Breitner: Natürlich darf man hier rauchen. Sehen Sie, Aschenbecher gibt es hinter den Blumen. In der Sitzecke drüben darf man nicht rauchen. Das ist für unsere Nichtraucher reserviert.

Renate Knopf: Wie ist es mit dem Konferenzraum?

Petra Zimmermann: Das müssen Sie entscheiden. Normalerweise dürfen die Teilnehmer im Konferenzraum nicht rauchen. Sie müssen warten und in der Pause rauchen, und dann auch nur im Gang. Warum fragen Sie, Frau Knopf? Ist das ein Problem für Ihre Leute?

Aufgaben

A   Was verstehen Sie?

1 Was ist die Hauptfrage?

2 Wo darf man nicht rauchen?

3 Wie ist es mit dem Konferenzraum – darf man dort rauchen?

28▷ **B   Reacting**

You're asked to give your comment on a number of points. Do so by using *er*, *sie*, or *es*.

z.B. Wie finden Sie das Hotel? Gut, nicht wahr?
Ja, es ist gut

1 Wie finden Sie den Plan? Gut, nicht wahr?

Ja, ...

2 Wie finden Sie mein Büro? Zu klein, nicht wahr?

Nein, ...

3 Wie finden Sie unsere Räume? Schön hell, nicht wahr?

Ja, ...

4 Und unsere Besichtigung? Viel zu lang, nicht wahr?

Nein, ...

5 Wie finden Sie meinen Vorschlag? Sehr interessant, nicht wahr?

Ja, ...

6 Und die Präsentation? Zu langsam, nicht wahr?

Ja, ...

7 Wie finden Sie ihr Angebot? Korrekt, nicht wahr?

Ja, ...

8 Und ihre Preise? Besonders günstig, nicht wahr?

Nein, ...

9 Finden Sie die Unterlagen in Ordnung?

Ja, ...

10 Wie finden Sie den Kaffee heute? Bitter, nicht wahr?

Ja, ...

▷ **C Obligation**

You're checking all the things that have to be fitted in. Put in the correct form of *müssen*

z.B. Wir .... ein Hotel finden
    Wir *müssen* ein Hotel finden

1 Ich .... wieder im Büro sein

2 Sie (*you*) .... einen Termin machen

3 Er .... die Besichtigung organisieren

4 Sie (*she*) .... den Vorschlag diskutieren

5 Das Hotel .... eine Antwort geben

6 Wir .... nicht zu lange warten

7 Sie (*you*) .... Ihr Ziel erklären

8 Sie (*they*) .... ihre Entscheidung treffen

9 Der Kunde .... das Restaurant kennenlernen

10 Die Empfangsdame .... die Gäste begrüßen

D Am Empfang

Sie sind Hotelgast.   Sie sind Empfangsmitarbeiter/in.
Sie haben viele Fragen.   Beantworten Sie die Fragen.

zum Beispiel:

Der Gast   **Sie**
ruhig sitzen?   Sitzecke

Wo können wir ruhig sitzen?   Drüben in der Sitzecke

Der Gast   **Sie**
faxen?   Empfang
Telefonkabinen finden?   Garderobe
Wagen parken?   Tiefgarage
Bier trinken?   Bar
Aschenbecher finden?   Blumen
à-la-carte essen?   Restaurant
Mantel aufgeben?   Garderobe
diskutieren?   Sitzecke
mit Frau Zimmermann   Büro
  sprechen?
mit Herrn Breitner sprechen?   Konferenzraum Berlin

[Diese Broschüre hilft Ihnen.]

und bei schönem
Wetter die
"Terrassen- und
Gartenwirtschaft".

Die 144 Gästezimmer
und Suiten haben ihre ganz
persönliche Note durch die
individuelle Ausstattung.
Die Bequemlichkeit eines
First-Class-Standards ist
darin selbstverständlich.
Eine vielseitige
Gastronomie ist
Tradition des
Hauses. Beliebte
Treffpunkte sind
die "Solitudebar",
die "Jägerstube"

Entspannung und
körperliche Aktivität
findet der Gast im
Freizeitbereich des
Hauses. Sauna,
Solarien, Dampfbad und
Hot Whirlpool sowie
eine Auswahl von
Fitnessgeräten stehen
zur Verfügung.
Möglichkeiten zum
Wandern, Joggen und
Radfahren im
angrenzenden Wald
sind idealerweise
gegeben.

Schwäbische Spezialitäten und
Leckerbissen der internationalen
Küche offerieren das à-la-carte-
Restaurant "Kaminhalle" und das
Abendrestaurant "La Fenêtre".

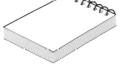

Neun variable und kombinierbare
Bankett- und Konferenzräume
bieten den Rahmen für
geschäftliche Anlässe wie auch
private Gelegenheiten.

E   Raumplan für Ihr Büro

1 Machen Sie eine Skizze von Ihrem Büro.
Zur Einrichtung gehört:

der Arbeitstisch

der Stuhl

das Telefon

der Computer

die Sitzecke für Gäste

der Taschenrechner

der Aktenschrank

das Bücherregal

der Schreibblock

das Bild

2 Wo sind diese Gegenstände im Büro von Ihrem Partner?
Fragen Sie.

Deutschland

Nein, auf Dauer würde er nicht hierbleiben. Aber mit der Option, nach Düsseldorf zurückzukehren, stellt sich Dietrich van Eyl auf zwei Jahre in Rostock ein. Zwei Jahre, die seiner Karriere bei der Dresdner Bank guttun. Seit Juni ist er Leiter der Kreditabteilung seiner Heimatbank in Rostock. Seit Juni führt van Eyl ein Leben zwischen Zimmermädchen und Liftboys: Im »Hotel Warnow«, erster Stock, Zimmer 120, berät der 33jährige die Kunden. Im »Hotel Warnemünde« genießt er abends den Blick aufs Meer. Doch so sehr ihm die propere Unterbringung schmeichelt, so wenig hält sie ihn am Wochenende. Am Freitag setzt er sich in seinen VW Golf und fährt nach Essen zur Freundin.

Am Abend der Wahl zur Volkskammer hat sie sich entschlossen, in die DDR zu gehen. Das war am dritten Sonntag im März. Am Montag liefen die Vorgespräche, am Dienstag waren die Koffer gepackt. Ungewöhnlich war für Gabriele Meloch nicht der plötzliche Umzug, sondern der Ort: Frankfurt an der Oder, DDR. Drei bis vier Jahre wird die 39jährige Bänkerin, die bisher Abteilungsdirektorin in Frankfurt am Main war, die Filiale der Deutschen Bank in der Provinzstadt an der Grenze zu Polen leiten.

Welche Firmen sind an der Spitze in Deutschland?

Firma	Tätigkeitsbereich	Platz in Europa
Allianz Holding	Versicherung/ Dienstleistungen im Finanzsektor	4
Daimler-Benz	Automobil- und Motorenherstellung	5
Siemens	Elektronik	6
Deutsche Bank	Bankanstalt	9
Veba	Energielieferant	25

Firma	Tätigkeitsbereich	Platz in Europa
Bayer	Pharmazeutika und Chemikalien	28
Dresdener Bank	Bankanstalt	30
Volkswagen	Automobilherstellung	33
Hoechst	Pharmazeutika und Chemikalien	35
BASF	Chemikalien	36

Der Arbeitstag

Der typische Arbeitstag in Deutschland beginnt um 8 Uhr morgens und endet zwischen 16 und 17 Uhr abends. Viele Manager arbeiten aber regelmäßig länger. Im Durchschnitt arbeiten die Deutschen im Westen 38 Stunden, die Deutschen im Osten 43 Stunden in der Woche. Im Sommer beginnt der Arbeitstag in vielen Betrieben schon um 7 Uhr morgens. Die Mittagspause ist normalerweise kurz, oft nur 30 Minuten. Dafür beginnt für viele Manager das Wochenende schon am Freitag zu Mittag.

Was suchen die Deutschen bei ihrer Arbeit?

Eine Spiegel-Umfrage zeigt folgendes:

Die meisten Deutschen wollen
- ein gutes Betriebsklima
- ein gutes Einkommen
- den Kontakt mit Kollegen

Sind die meisten Deutschen mit ihrer Arbeit und ihrer Bezahlung zufrieden?

Nur jeder dritte: Lohn entspricht Leistung

Vier Fragen zu ihrer Arbeit und ihrem Beruf stellte Emnid* den Berufstätigen. Es bejahten die Frage:

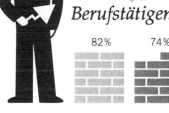 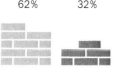  

| 82% | 74% | | 62% | 32% | | 78% | 72% | | 62% | 61% |

„Sind Sie mit Ihrer Arbeit zufrieden?" „Werden Sie für Ihre Arbeit angemessen bezahlt?" „Entspricht die Arbeit Ihren Fähigkeiten und Kenntnissen?" „Würden Sie den gleichen Beruf wieder wählen?"

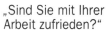 WESTDEUTSCHE OSTDEUTSCHE

*EMNID ist ein führendes deutsches Institut für Meinungsumfragen und demoskopische Analyse.

Jetzt sprechen Sie

> Sie können:
>
> - *identify locations*
>   hier, dort, drüben, am Tisch, im Seminarraum, im Restaurant, am Fenster, in der Ecke, am Buffett, im Nebenraum, im Gang
>
> - *check duration*
>   Wie lange dauert die Besichtigung?
>
> - *invite a person to start*
>   So, beginnen Sie Herr Fischer
>
> - *react positively*
>   Ich finde den Vorschlag gut
>
> - *make a suggestion*
>   Ich habe einen Vorschlag
>
> - *suggest how to start*
>   Beginnen wir zuerst mit . . .
>
> - *express agreement*
>   Einverstanden
>
> - *present a list of items*
>   zuerst   zweitens   drittens
>
> - *check whether people agree*
>   Sind Sie damit einverstanden?
>
> - *solicit other people's opinion*
>   Was meinen Sie?
>
> - *check whether you've covered all points*
>   Sonst noch etwas?

4 Gehen wir in den Konferenzraum?

In Stage 4, you will start to
- follow and give some directions
- describe some features and benefits
- put information in writing
- learn the days of the week

The visit round Hotel Europa continues. Petra Zimmermann, Renate Knopf, Andreas Breitner and Franz Fischer take a look at the Berlin meeting room. Then they move on to look at the restaurant and discuss the seating possibilities.

• • •

After the tour round the hotel, the group meets together in Petra Zimmermann's office, where Franz Fischer sums up what he has understood. He tells the Hotel Europa team what information he needs to enable him to make his decision.

Vorbereitung

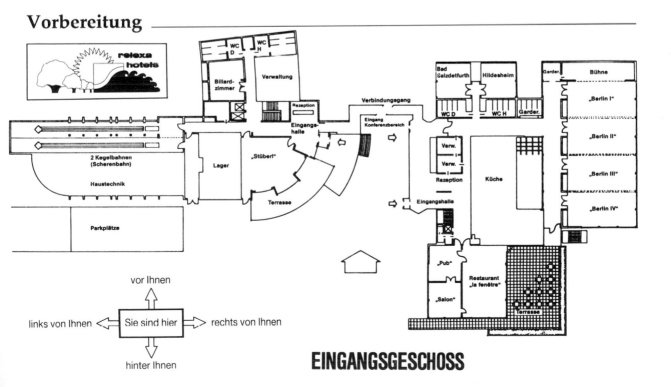

EINGANGSGESCHOSS

Richtig oder falsch?

1 Der Konferenzraum Bad Salzdetfurth ist links vom Konferenzraum Hildesheim

2 Das Billiardzimmer ist rechts von der Küche

3 Der Salon ist hinter dem Pub

4 Der Pub ist neben dem Restaurant

5 Sie sind in der Rezeption. Die Toiletten sind geradeaus und dann links

6 Hinter der Bühne ist eine Garderobe

Dialog 1

Der Besuch geht weiter.

 Lesen Sie diese Ausdrücke. Dann hören Sie der Kassette zu.

im ersten Stock	*on the first floor*
Das ist uns gleich	*It's all the same to us*
eine Treppe höher	*one floor up*
erlauben Sie	*with your permission*
Ich gehe vor	*I'll go ahead*
Nach Ihnen	*After you*

Andreas Breitner: Wohin möchten Sie zunächst gehen? Ins Restaurant, in die Bar oder in den Konferenzraum? Das Restaurant ist im Anbau, die Konferenzräume sind im ersten Stock.

Franz Fischer: Das ist uns gleich. Wollen wir vielleicht zuerst in die Konferenzräume und dann ins Restaurant gehen? Die Bar ist heute nicht so wichtig.

Petra Zimmermann:	In Ordnung. So, wir müssen eine Treppe höher gehen und dann gleich links. Berlin ist geradeaus. Weimar ist geradeaus und dann rechts. Erlauben Sie, Herr Fischer. Ich gehe vor.
Andreas Breitner:	Bitte, nach Ihnen Frau Knopf.
Renate Knopf:	Danke, Herr Breitner.

Aufgaben

A   Was verstehen Sie?

1 Was möchten sie entscheiden?

2 Wohin gehen sie zuerst?

3 Was müssen sie machen?

B   Where?

You'll need to be able to locate things as accurately as possible. Practise doing this by answering these questions, which are directed at you:

z.B. Wohin möchten Sie zunächst gehen?
Ins Restaurant
Wo ist das Restaurant?
Im Anbau

1 Wo möchten Sie unsere Diskussion beginnen?
Hier in (*die*) .... Sitzecke, bitte

2 Wohin gehen wir jetzt?
In (*das*) .... Büro

3 Wo arbeitet Ihre Mannschaft?
Dort in (*der*) .... Nebenraum

4 Wo finden wir Sie?
Drüben in (*die*) .... Bar

5 Wann kann ich Sie zunächst besuchen?
Nächste Woche in (*die*) .... Firma

6 Wo wollen wir dann hingehen?
In (*das*) .... Restaurant

7 Wann hören wir Ihre Pläne?
In (*die*) .... Präsentation

8 Wo findet man ihre Prospekte?
In (*das*) .... Verkehrsämtern und in (*das*) .... Hotels

9 Wann bekommen wir die Informationen?
In (*der*) .... Diskussionskreisen

10 Wo stellen wir die Geräte hin?
In (*das*) .... Konferenzzentren

die Buchhandlung

das Restaurant

der Park

das Reisebüro

Hauptstraße

das Postamt

die Bank

die Konditorei

C Ich möchte wissen, . . .

1 Fragen Sie Ihren Partner:

Wohin gehe ich, . . .

um eine Tasse Kaffee zu trinken?
um Geld zu wechseln?
um einen Flugschein zu buchen?
um einen Brief zu schicken?
um einen Stadtplan zu kaufen
um etwas zu essen?
um draußen zu sitzen?

Wo kann ich . . .

eine Tasse Kaffee trinken?
Geld wechseln?
einen Flugschein buchen?
einen Brief schicken?
einen Stadtplan kaufen?
etwas essen?
draußen sitzen?

2 Geben Sie kurze Antworten:

Wohin?	Wo?
....	....
....	....
....	....
....	....
....	....
....	....

Dialog 2

Im Konferenzraum Weimar erklärt Petra Zimmermann die Eigenschaften und die Vorteile.

Lesen Sie diese Ausdrücke. Dann hören Sie der Kassette zu.

schön hell	*nice and light*
vor allem	*above all*
in aller Ruhe	*undisturbed*
Welche Geräte brauchen Sie?	*What equipment do you need?*
vielleicht sogar zwei	*perhaps even two*
Ich sage Bescheid	*I'll let you know*
Bis wann?	*By when?*
Wie steht es mit den Tischen?	*What about the tables?*
Was ist für Sie wichtig?	*What's important for you?*

Renate Knopf:	Dieser Raum ist aber hell, sehr schön hell. Ich finde ihn ausgezeichnet.
Franz Fischer:	Und vor allem ruhig. Das ist sehr wichtig für uns.
Petra Zimmermann:	Ja, Sie sehen hier nicht nur Doppelfenster sondern auch Doppeltüren. Sie können in aller Ruhe arbeiten.
Andreas Breitner:	Was für Geräte und was für Material brauchen Sie im September?
Renate Knopf:	Wir brauchen einen Video-Recorder, vielleicht sogar zwei. Sie müssen für den Raum groß genug sein.
Petra Zimmermann:	Mit oder ohne Kamera?
Franz Fischer:	Wir brauchen keine Kamera.
Petra Zimmermann:	Und welches System?
Renate Knopf:	Das kann ich im Moment noch nicht sagen. Ich frage nach und sage dann Bescheid. Bis wann müssen Sie diese Informationen haben?
Petra Zimmermann:	Zwei Wochen vor der Präsentation. Das genügt.
Franz Fischer:	Wie steht es mit der Sitzordnung und mit den Tischen?
Petra Zimmermann:	Der Raum hat Einzeltische, Doppeltische und Ecktische – das heißt, er ist sehr flexibel. Sie können in einem Kreis oder in einer U-Form sitzen – ganz wie Sie möchten. Was ist für Sie wichtig bei Ihrer Präsentation?

Aufgaben

A   Was verstehen Sie?

1 Was sagen die Continental-Leute zuerst zu Weimar?

2 Welche Geräte brauchen sie?

3 Bis wann muß das Hotel über die Geräte Bescheid wissen?

B **Referring to detail**

You will need to be able to refer specifically to things you mean. Practise doing this by completing the checklist:

z.B. Was ist für Sie bei .... Präsentation (*die*) wichtig?
  Was ist für Sie bei *der* Präsentation wichtig?

1 Wie steht es mit .... Zeitplanung (*die*)?

2 Was ist für Sie bei .... Vorschlag (*der*) wichtig?

3 Wann können wir zu .... Verkaufsdirektor (*der*) gehen?

4 Was halten Sie von .... Termin (*der*)?

5 Was möchten Sie aus .... Büro (*das*) nehmen?

6 Wann müssen wir es mit .... Teilnehmern (*der*) entscheiden?

7 Was ist bei .... Systemen (*das*) besonders praktisch?

8 Was meinen Ihre Kunden zu .... Prospekten (*der*)?

9 Was halten sie von .... Bildern (*das*)?

10 Was kann man aus .... Unterlagen (*die*) lernen?

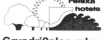

**Grundrißplan relexa
Tagungszentrum**

C Lesen Sie dieses Informationsblatt.

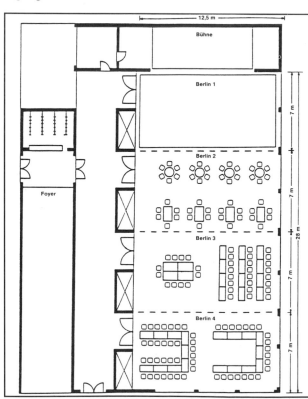

Die Ausstattung der Räume und die Dekorations-möglichkeiten bilden den passenden Rahmen für jede Veranstaltung, sei es eine Tagung, ein Vortrag, eine Präsentation, ein Empfang, ein Geschäftsessen oder ein festliches Dinner.

Bis zu vier Konferenzräume sind miteinander kombinierbar.

Sie verfügen über Tageslicht und sind vollständig verdunkelbar und belüftet.

Alle Räume haben einen direkten oder nahe-gelegenen Ausgang ins Freie. Die Räume sind sowohl untereinander, als auch nach außen schalldicht.

Elektrische Anschlüsse in Wänden und Böden sind obligatorisch.

Hoher Sitzkomfort auf breiten Polsterstühlen oder Sesseln.

Große Dekorationsflächen durch textile Wand-bespannung.

Dann lesen Sie die Liste der Eigenschaften und suchen Sie
den Vorteil.

zum Beispiel:

Eigenschaft	**Vorteil**
Bis zu vier Konferenzräume sind miteinander kombinierbar	Man hat Platz für viele Personen

Eigenschaften	**Vorteile**
die Ausstattung	frische Luft in den Pausen
Konferenzräume kombinierbar	ruhig
Tageslicht	hoher Sitzkomfort
verdunkelbar	flexibel
Ausgang ins Freie	große Dekorationsflächen
schalldicht	Platz für viele Personen
elektrische Anschlüsse	hell
breite Polsterstuhle	für Video geeignet
textile Wandbespannung	alle elektrischen Geräte möglich

Dialog 3

Im Restaurant erklärt Petra Zimmermann, wie und wo die
Teilnehmer sitzen können.

 Lesen Sie diese Ausdrücke. Dann hören Sie der Kassette zu.

angenehm	*pleasant*
zu Hause	*at home*
Wichtig für uns ist die Qualität	*It's quality that's important for us*
Was ist bei der Zeitplanung wichtig?	*What's important about the time-tabling?*

Franz Fischer:	Frau Knopf, Sie haben recht. Ich finde dieses Restaurant sehr angenehm. Es ist klein aber geräumig. Diese Blumen sind besonders schön, und diesen Tisch mit Selbstbedienung finde ich auch sehr praktisch.
Petra Zimmermann:	Danke für Ihre Komplimente, Herr Fischer. Wir sind sehr stolz auf unser Restaurant. Es heißt das Restaurant 'Zum alten Markt' und hat Platz für hundertfünfzig Personen. Aber durch die Form der Tische und durch diese Trennwand merkt man die Größe nicht.
Andreas Breitner:	Ja, unsere Gäste sind hier schnell zu Hause.
Franz Fischer:	Wo können unsere Leute sitzen? Wir haben sowohl Raucher als auch Nichtraucher.
Petra Zimmermann:	Ihre Leute können hier am Fenster oder dort unter dem Bild sitzen. Oder möchten einige vielleicht hinter dem Büffet essen? Diese Tische sind extra für Nichtraucher.
Franz Fischer:	Diskutieren wir das später im Büro. Wichtig für uns ist die Qualität, die Auswahl und die Zeitplanung.
Andreas Breitner:	Was ist für Sie bei der Zeitplanung wichtig?
Renate Knopf:	In der Mittagspause sollen unsere Leute nicht zu viel Zeit bei Tisch verbringen. Sie sollen auch nicht zu viel trinken. Sie müssen nämlich nach dem Essen weiterarbeiten.

Aufgaben

A   Was verstehen Sie?

1 Wieviel Leute können im Restaurant essen?

2 Was wollen sie später diskutieren?

3 Was ist bei der Zeitplanung wichtig?

B   Specifying, using *dieser, diese, dieses*

To enable you to refer more specifically to things you mean, put the correct ending on to *dies—*.

z.B.   Dies....... Restaurant finde ich sehr angenehm
       Dieses Restaurant finde ich sehr angenehm

1 Bis wann müssen wir dies....... Entscheidung treffen?

2 Wie finden Sie dies....... Wein eigentlich?

3 Ihre Kunden sind mit dies....... Qualität einverstanden

4 Hat er ein Problem mit dies....... Material?

5 Können wir schnell dies....... Angebote vergleichen?

6 Ich möchte dies....... Vorschläge hören

7 Beginnen wir heute mit dies....... Preisen

8 Wie steht es mit dies....... Geräten?

9 Von dies....... Unterlagen weiß ich nichts

10 Wie können wir dies....... Ideen testen?

C An der Rezeption, Firma Continental

Sie arbeiten an der Rezeption, Firma Continental. Sie haben viele Besucher. Helfen Sie ihnen, den Weg zu finden. Geben Sie so viele Informationen wie möglich.

1 Wie komme ich in die Verkaufsabteilung?

2 Wo ist der Versand bitte?

3 Zum Kundendienst, bitte.

4 Ich habe einen Termin mit Herrn Dr Schäfer in der technischen Abteilung. Wie komme ich dorthin?

5 Sagen Sie bitte, wo ist das Finanzbüro?

6 Ich möchte zur Präsentation im Sitzungsraum.

7 Entschuldigen Sie, wo sind die Toiletten?

8 Dieses Paket ist für den Marketing-Direktor. Wo finde ich ihn bitte?

9 Kann ich eine Tasse Kaffee bekommen?

10 Zum Geschäftsführer, bitte.

Der Plan auf Seite 53 hilft Ihnen:

Gehen Sie links	Die Kantine ist direkt gegenüber
rechts	die erste Tür links/rechts
geradeaus	eine Tür weiter
eine Treppe höher	neben dem Sitzungsraum
	neben der Marketing-Abteilung
	dem Sekretariat gegenüber

Dialog 4

Franz Fischer faßt den Besuch und seine Pläne zusammen.

 Lesen Sie diese Ausdrücke. Dann hören Sie der Kassette zu.

Ich wiederhole	*I repeat*
Alles ist schon gebucht	*Everything's already booked*
bis zum zwölften	*by the twelfth*
schriftlich bestätigen	*confirm in writing*
Danke für Ihre Einladung	*Thank you for your invitation*
ein Vergnügen	*a pleasure*
Kommen Sie jederzeit wieder	*Come again any time*

Franz Fischer: Ja, Frau Zimmermann, Herr Breitner, vielen Dank für diese Informationen. Die Besichtigung war auch sehr interessant. Ich möchte noch einmal wiederholen vielleicht. In der Woche Nummer achtunddreißig sind beide Konferenzräume frei, und zwar am Montag und am Mittwoch. Am Dienstag und am Donnerstag können wir nur den Raum Weimar haben. Er ist aber für unsere Bedürfnisse eigentlich zu groß und – leider – zu teuer. Am Freitag ist alles schon gebucht. Habe ich richtig verstanden?

Petra Zimmermann:	Ganz richtig, Herr Fischer. Ich kann das aber alles schriftlich bestätigen.
Renate Knopf:	Ja, danke, Frau Zimmermann. Können Sie das bis zum zwölften schaffen, denn wir wollen unsere Entscheidung schnell treffen.
Petra Zimmermann:	Aber gern. Steht Ihre Faxnummer auf Ihrer Karte? Ja. Kein Problem. Sie bekommen unser Schreiben schon vor dem zwölften.
Franz Fischer:	Danke noch einmal für Ihre Einladung. Leider müssen wir jetzt gehen, denn ich habe einen Termin im Büro. Schicken Sie die Informationen sobald wie möglich. Wir besuchen noch zwei Hotels, wir vergleichen die Angebote, dann treffen wir unsere Entscheidung.
Andreas Breitner:	Frau Knopf. Herr Fischer. Es war ein Vergnügen. Kommen Sie jederzeit wieder.

Aufgaben

A **Was verstehen Sie?**

  1 Welche Woche diskutieren sie?

  2 Was sagt Franz Fischer über Weimar?

  3 Was will Frau Zimmermann jetzt machen?

 B Separable verbs help you to be more precise, and they sound more natural. Practise them by re-writing the following sentences without *können, müssen, möchten, wollen*.

  z.b. Wollen Sie ein Hotel bitte anrufen
        Rufen Sie ein Hotel bitte an

  1 Unsere Leute müssen am Nachmittag weiterarbeiten

  2 Ich möchte kurz zuhören

  3 Wann wollen Sie wiederkommen?

  4 Wer will mitgehen?

  5 Wir können den Prospekt durchlesen

  6 Wo wollen Sie es ausprobieren?

  7 Wollen Sie bitte vorgehen?

  8 Wann können wir Sie wiedersehen?

  9 Ich kann das Angebot annehmen

  10 Wie kann ich Ihre Firma kennenlernen?

C Frau Knopf faßt die Informationen als Denkzettel für Herrn Fischer zusammen. Hören Sie dem Dialog noch einmal zu. Welche Informationen fehlen?

Woche-Nr.	Tag	Konferenzraum Berlin	Konferenzraum Weimar
			frei
	Mittwoch		
		gebucht	

Grundrißplan –
Firmenhauptsitz

3. Etage

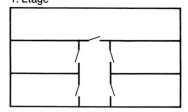

2. Etage

1. Etage

Erdgeschoß

Notausgang

D Wo ist . . . ?

Lernen Sie Ihre Firma kennen. Arbeiten Sie mit einem Partner/einer Partnerin, um diesen Plan zu erklären.

1 Die Marketingabteilung und der Fotokopierer sind auf der selben Etage wie die Kantine.

2 Die Personalabteilung ist eine Etage höher als die Kantine, der Übersetzungsabteilung gegenüber.

3 Das Sekretariat ist eine Treppe höher als der Empfang und der Postraum.

4 Zwischen dem Sitzungsraum und dem Computer-Center ist die Geschäftsführung.

5 Die Personalabteilung ist neben der Technischen Abteilung.

6 Die Exportabteilung ist der Technischen Abteilung gegenüber.

7 Die Übersetzungsabteilung ist im 3. Stock, hinten rechts.

8 Das Sekretariat ist hinten rechts.

9 Die Toiletten sind im 2. Stock, auf der linken Seite.

10 Der Informationsdienst ist eine Treppe höher als die Verkaufsabteilung.

11 Der Fotokopierer ist den Toiletten gegenüber.

12 Die Übersetzungsabteilung ist im 3. Stock, eine Tür weiter als die Exportabteilung.

13 Die Personalabteilung ist im 3. Stock.

14 Das Finanzbüro ist vor dem Sekretariat und unter der Etage, wo sich die Toiletten befinden.

15 Der Versand und der Kundendienst sind auf derselben Etage.

16 Die Verkaufsabteilung ist zwischen der Kantine und dem Fotokopierer.

17 Die Marketingabteilung ist hinter den Toiletten.

18 Die Toiletten befinden sich direkt unter der Abteilung für Forschung und Entwicklung.

19 Das Computer-Center ist im 1. Stock, hinten.

20 Das Finanzbüro befindet sich im 1. Stock rechts.

21 Der Sitzungsraum ist dem Finanzüro gegenüber.

22 Die Abteilung für Forschung und Entwicklung ist im 3. Stock, auf der linken Seite.

23 Der Kundendienst ist dem Empfang gegenüber.

24 Der Postraum ist vor dem Notausgang auf der rechten Seite.

●●

Deutschland

German Unification

Following World War Two, Germany was divided into zones of military occupation and governed by the Four Powers: the United States, Britain, France and the Soviet Union. The Cold War and the breakdown in relationships between the Western Powers and the Soviet Union led, in 1949, to the founding of two German states: the Federal Republic [*die Bundesrepublik Deutschland*] in the West, and the German Democratic Republic [*die Deutsche Demokratische Republik*] in the East.

The division of Germany was reflected in many ways – politically, economically and culturally. For many people though, its most potent symbol was the Berlin Wall, built by the East Germans to surround West Berlin in August 1961.

On 7th November 1989, in the wake of the political transformation of Eastern Europe and demonstrations and protests in many East German cities, the government of the German Democratic Republic resigned. The communist party leadership likewise resigned the following day. Their successors took less of a hard line, but were virtually powerless to resist the demands of the people for greater freedom and democracy. At midnight on 9th/10th November 1989 all travel restrictions to the West were lifted. The Berlin Wall was opened and a process set in motion which led to the overthrow of communism, the founding of democratic political parties and free elections in the GDR, monetary union with the Federal Republic and eventually to the formal unification of the two German states on 3rd October 1990. After 45 years of division, Germany was united.

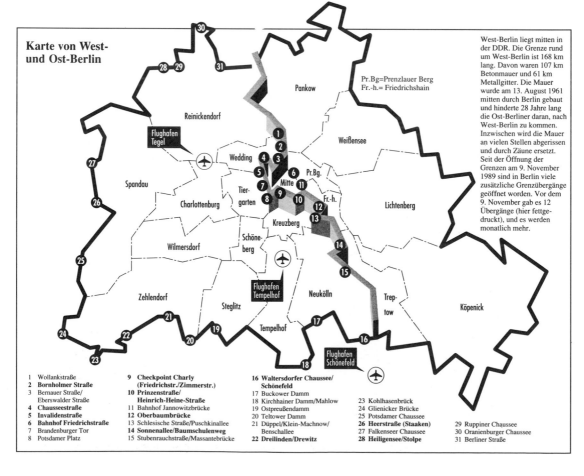

Karte von West- und Ost-Berlin

West-Berlin liegt mitten in der DDR. Die Grenze rund um West-Berlin ist 168 km lang. Davon waren 107 km Betonmauer und 61 km Metallgitter. Die Mauer wurde am 13. August 1961 mitten durch Berlin gebaut und hinderte 28 Jahre lang die Ost-Berliner daran, nach West-Berlin zu kommen. Inzwischen wird die Mauer an vielen Stellen abgerissen und durch Zäune ersetzt. Seit der Öffnung der Grenzen am 9. November 1989 sind in Berlin viele zusätzliche Grenzübergänge geöffnet worden. Vor dem 9. November gab es 12 Übergänge (hier fettgedruckt), und es werden monatlich mehr.

Pr.Bg=Prenzlauer Berg
Fr.-h.= Friedrichshain

1 Wollankstraße
2 **Bornholmer Straße**
3 Bernauer Straße/ Eberswalder Straße
4 **Chausseestraße**
5 **Invalidenstraße**
6 **Bahnhof Friedrichstraße**
7 Brandenburger Tor
8 Potsdamer Platz
9 **Checkpoint Charly (Friedrichstr./Zimmerstr.)**
10 **Prinzenstraße/ Heinrich-Heine-Straße**
11 Bahnhof Jannowitzbrücke
12 **Oberbaumbrücke**
13 Schlesische Straße/Puschkinallee
14 **Sonnenallee/Baumschulenweg**
15 Stubenrauchstraße/Massantebrücke
16 **Waltersdorfer Chaussee/ Schönefeld**
17 Buckower Damm
18 Kirchhainer Damm/Mahlow
19 Ostpreußendamm
20 Teltower Damm
21 Düppel/Klein-Machnow/ Benschallee
22 **Dreilinden/Drewitz**
23 Kohlhasenbrück
24 Glienicker Brücke
25 Potsdamer Chaussee
26 **Heerstraße (Staaken)**
27 Falkenseer Chaussee
28 **Heiligensee/Stolpe**
29 Ruppiner Chaussee
30 Oranienburger Chaussee
31 Berliner Straße

Der Weg zur deutschen Einheit _____

9/10. November 1989
- Reisefreiheit für DDR-Bürger
- Eröffnung der Berliner Mauer

18. März 1990
- Freie Wahlen in der DDR
  Die ersten freien und geheimen Wahlen in der DDR finden statt. Sieger ist die *Allianz für Deutschland* mit einem Stimmenanteil von 48%

2. Juli 1990
- Währungsunion mit der BRD
- Die Deutsche Mark – die Währung in der Bundesrepublik – wird in die DDR eingeführt. Die zwei deutschen Staaten sind jetzt wirtschaftlich vereint

3. Oktober 1990
- Der Einigungs-vertrag tritt in Kraft
- Die DDR existiert nicht mehr. Der neue deutsche Staat heißt *die Bundesrepublik Deutschland*

2. Dezember 1990
- Gesamt-deutsche Wahlen zum Bundestag
- Politische Vereinigung der zwei deutschen Staaten

Das neue Geld: Die D-Mark wird eingeführt.

Die erste Bundestagswahl aller Deutschen

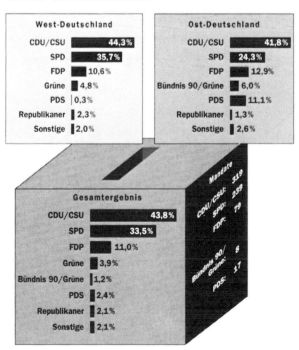

West-Deutschland	
CDU/CSU	44,3%
SPD	35,7%
FDP	10,6%
Grüne	4,8%
PDS	0,3%
Republikaner	2,3%
Sonstige	2,0%

Ost-Deutschland	
CDU/CSU	41,8%
SPD	24,3%
FDP	12,9%
Bündnis 90/Grüne	6,0%
PDS	11,1%
Republikaner	1,3%
Sonstige	2,6%

Gesamtergebnis	
CDU/CSU	43,8%
SPD	33,5%
FDP	11,0%
Grüne	3,9%
Bündnis 90/Grüne	1,2%
PDS	2,4%
Republikaner	2,1%
Sonstige	2,1%

Mandate	
CDU/CSU:	319
SPD:	239
FDP:	79
Bündnis 90/Grüne:	8
PDS:	17

Jetzt sprechen Sie

Sie können:

- *summarise*
  Ich möchte wiederholen

- *check your understanding*
  Habe ich richtig verstanden?

- *identify deadlines*
  bis zum zwölften
  vor dem zwölften

- *find out what is important*
  Was ist für Sie wichtig bei Ihrer
  Präsentation?

- *confirm what is important to you*
  das ist sehr wichtig für uns

- *find out about deadlines*
  Bis wann müssen Sie diese
  Informationen haben?

- *present additional features*
  nicht nur Doppelfenster sondern auch
  Doppeltüren

- *present features and benefits*
  Der Raum hat Einzeltische,
  Doppeltische und Ecktische – das
  heißt, er ist sehr flexibel

- *give simple directions*
  eine Treppe höher, links, gleich links,
  rechts, geradeaus

Er möchte mit uns verhandeln

In Stage 5, you will start to
- summarise information
- talk about past events
- make some notes
- prepare to negotiate

It's the end of the day for Petra Zimmermann and Andreas Breitner. Together they sum up what has happened and make out an action checklist.

● ● ●

At Firma Continental, Renate Knopf and Franz Fischer have received a fax from Hotel Europa. Renate Knopf has made a comparison of the quotations from the three hotels the company is looking at. She has identified three central questions the company needs to ask.

● ● ●

At Hotel Europa, Petra Zimmermann and Andreas Breitner react to the three questions from Firma Continental.

Vorbereitung

Lesen Sie den Brief von kabelmetal electro auf der nächsten Seite.

1 Wann finden die Seminare statt?

2 Wieviele Teilnehmer besuchen die Seminare?

3 Was bucht kabelmetal electro GmbH?

4 Was bedeutet der Ausdruck 'eine Englisch sprechende Bedienung'?
   a die Teilnehmer sprechen kein Deutsch
   b die Bedienung kann kein Deutsch
   c die Bedienung soll nur Englisch sprechen

ALCATEL
KABELMETAL

Heide-Krōpke
Silencehotel
z.Hd. Frau Ranke

3031 Ostenholzer Moor

kabelmetal electro GmbH
Kabelkamp 20 · Postfach 2 60
3000 Hannover 1

PKB/Fr. Wagner
Tel. 0511/676-2189
Fax. 0511/676-2764
10. Februar 1993

Englisch-Seminare

Sehr geehrte Frau Ranke,

wir beziehen uns auf unser Telefonat und bitten Sie zu
buchen:

     04.03. – 07.03.199.

     07.10. – 09.10.199.

jeweils 15 Einzelzimmer/Dusche/WC und Tagesverpflegung
zu den bisherigen Konditionen.

Außerdem wurde vereinbart, daß für das Servieren eine
Englisch sprechende Bedienung eingesetzt wird.

Mit freundlichen Grüßen

k a b e l m e t a l   e l e c t r o
Gesellschaft mit beschränkter Haftung
Bildungswesen

Vorsitzender des Aufsichtsrats: Erhard Falk
Geschäftsführung: Dr. Wolfgang G. Plinke, Dr. Peter Rohner, Dr. Walter Uekermann
Sitz der Gesellschaft ist Hannover · Handelsregister Nr. B 7249 des Amtsgerichts Hannover

	Telefon	Telefax	Telex	Teletex	Videokonferenz	Postgiro Hannover	Landeszentralbank Hannover	
02.91.050.08	(05 11) 6 76-1	(05 11) 6 76 25 44	9 22 711 Kmhd	51 18 312 KEH	51 10 37	(BLZ 250 100 30) 535 30-309	(BLZ 250 000 00) 250 077 77	842 12 067

Dialog 1

Petra Zimmermann und Andreas Breitner fassen den Tag
zusammen.

 Lesen Sie diese Ausdrücke. Dann hören Sie der Kassette zu.

Ich bin müde	*I'm tired*
Nein, gar nicht	*No, not at all*
Was haben Sie gesagt?	*What did you say?*
Unser Angebot hat sie sehr interessiert	*Our offer interested them a lot*
Ich bin ganz sicher	*I'm quite sure*

Petra Zimmermann:	Das war ein langer Tag. Ich bin müde. Und Sie, Herr Breitner?
Andreas Breitner:	Nein, gar nicht. Der Tag war zwar lang. Er war aber auch sehr positiv. Wir haben zwei Buchungen gehabt – die Firma Continental und den Verkehrsverein.
Petra Zimmermann:	Einen Augenblick, Herr Breitner. Was haben Sie gesagt? Ich habe nur eine Buchung notiert, und zwar für den Verkehrsverein. Die Firma Continental hat viele Fragen gestellt. Sie hat ihre Bedürfnisse erklärt. Sie hat aber nicht gebucht, nicht fest gebucht.
Andreas Breitner:	Ich weiß. Aber haben Sie ihre Fragen gehört? Unser Angebot hat sie sehr interessiert. Firma Continental kommt im September. Ich bin ganz sicher.
Petra Zimmermann:	Und die zwei Hotels? Herr Fischer wollte sie noch besichtigen. Er wollte ihre Preise vergleichen.
Andreas Breitner:	Das hat er gesagt. Hat er das aber gemacht?

Aufgaben

A   Was verstehen Sie?

   1 Wie war der Tag für Andreas Breitner?

   2 Wie war der Tag für Petra Zimmermann?

   3 Wie reagieren sie auf den Besuch von Firma Continental?

 B   Talking about the past

Put these statements and questions into the past:

z.B. Was machen Sie?
         Was haben Sie gemacht?

   1 Was sagen Sie zuerst?

   2 Ich habe ein Problem

3 Das hören wir nicht gern

4 Er stellt viele Fragen

5 Die Firma bucht im Januar

6 Wann machen wir unsere Präsentation?

7 Wohin schicken sie das Angebot?

8 Was meint er damit?

9 Sie lernt nicht schnell

10 Die Besprechung dauert nicht lange

C Was wollten Sie machen?/*What did you want to do?*

Talking about the past. Complete these statements and questions in the past, using the appropriate form of *wollte, durfte, mußte, konnte*.

z.B. Was .... Sie machen? (*want to*)
     Was wollten Sie machen?

1 Warum .... wir so früh buchen? (*have to*)

2 .... Sie den Verkehrsverein nicht fragen? (*be able to*)

3 Unsere Kunden .... drüben parken (*be allowed to*)

4 Wann .... wir andere Firmen besuchen? (*want to*)

5 Wie .... sie (*she*) uns erreichen? (*be able to*)

6 Bis wann .... ich meine Entscheidung treffen?
  (*have to*)

7 .... er mehrere Prospekte nehmen? (*be allowed to*)

8 Wohin .... sie (*they*) die Preislisten schicken?
  (*have to*)

9 Wo .... wir rauchen? (*be allowed to*)

10 Was .... er damit sagen? (*want to*)

D Bestätigung

Nach der Besprechung mit Andreas Breitner telefoniert Frau Zimmermann mit der Reservierungszentrale, um die Buchung für den Verkehrsverein zu bestätigen. Spielen Sie die Rollen.

Sie sind in der Reservierungszentrale

Sie melden sich

Sie sind Frau Zimmermann

Sie melden sich. Sie möchten eine feste Buchung machen

Sie brauchen diese
Informationen:
- den Namen von dem
  Kunden
- wieviele Zimmer?

- für wie lange?
- an wen geht die Rechnung?

Sie geben diese
Informationen:
- den Namen von dem
  Kunden
- 8 Doppel- und 2
  Einzelzimmer mit
  Dusche und WC
- vom 19.–21. April
- an den Verkehrsverein
  Geschwister-Scholl-
  Straße 43

Sie bestätigen die
Buchung

Sie danken für das Gespräch

Dialog 2

Petra Zimmermann und Andreas Breitner bereiten eine Checkliste vor.

Lesen Sie diese Ausdrücke. Dann hören Sie der Kassette zu.

Fassen wir zusammen	*Let's sum up*
Wir haben alles gesehen	*We've seen everything*
Was haben wir sonst noch diskutiert?	*What else did we discuss?*
Hier habe ich alles notiert	*I've noted everything down here*
Nicht zu vergessen . . .	*Don't forget . . .*
Das habe ich für sehr positiv gehalten	*I found that very positive*

Petra Zimmermann: Fassen wir also zusammen. Was haben wir heute für die Firma Continental gemacht? Wir haben alles gesehen. Wir waren im Restaurant. Dort haben wir die Speisekarte gelesen und die Möglichkeiten studiert.

Andreas Breitner: Ja. Die Firma Continental weiß, wie flexibel wir sind. Sie hat unser Angebot und unsere Preise für sehr korrekt gehalten.

Petra Zimmermann:	Was haben wir sonst noch diskutiert? Ach, ja. Hier habe ich alles notiert. Wir haben das Datum diskutiert, und ich habe unsere Daten gegeben.
Andreas Breitner:	Nicht zu vergessen – Frau Knopf hat unsere Speisekarte zur Information mitgenommen.
Petra Zimmermann:	Ja, das habe ich auch gesehen. Das habe ich für sehr positiv gehalten.

Aufgaben

A   Was verstehen Sie?

1 Was haben Petra Zimmermann und Andreas Breitner heute für Firma Continental gemacht?

2 Was hat Frau Knopf mitgenommen?

3 Wie hat Frau Zimmermann reagiert?

B   Was haben Sie gemacht?/*What did you do?*

Talking about the past. Re-write these statements and questions in the past without using *wollte*.

z.B. Er wollte eine Frage stellen
      Er hat eine Frage gestellt

1 Ich wollte den Nebenraum sehen

2 Sie (*they*) wollten am Tisch schreiben

3 Was wollten Sie am Fenster studieren?

4 Sie wollte die Unterlagen vergleichen

5 Wir wollten den Preis nicht diskutieren

6 Wollten unsere Kunden ihre Prospekte nicht bringen?

7 Unsere Leute wollten im Kreis sitzen

8 Wir wollten nicht viel Zeit am Tisch verbringen

9 Wann wollten Sie essen?

10 Wann wollte die Firma ihre Entscheidung treffen?

C   Vergessen Sie nicht .... !/*Don't forget the .... !*

Giving instructions. You make a checklist of things you need in the form of the key words. Now write the corresponding instructions to your colleague:

z.B. Sie notieren: *Schreibtisch*
      Sie schreiben: *Vergessen Sie nicht den Schreibtisch*

1 Verkehrsverein
  Vergessen Sie nicht .... Verkehrsverein

2 Angebot
Vergessen Sie nicht .... Angebot

3 Preisvergleiche
Vergessen Sie nicht .... Preisvergleiche

4 Verabredung um elf
Vergessen Sie nicht .... Verabredung um elf

5 Diskussionskreis
Vergessen Sie nicht .... Diskussionskreis

6 Video-Recorder
Vergessen Sie nicht .... Video-Recorder

7 Vertreter
Vergessen Sie nicht .... Vertreter

8 Kostenvorschlag
Vergessen Sie nicht .... Kostenvorschlag

9 Kundenbuch
Vergessen Sie nicht .... Kundenbuch

10 Minibar
Vergessen Sie nicht .... Minibar

 D   Fassen wir zusammen

Frau Knopf und Herr Fischer besprechen die Besichtigung im Hotel Europa. Hören Sie der Kassette zu, und notieren Sie ihre Hauptkommentare.

Positiv	Negativ
1	1
2	2
3	3

Dialog 3

In der Firma Continental haben Renate Knopf und Franz Fischer ein Schreiben vom Hotel Europa bekommen.

Lesen Sie diese Ausdrücke. Dann hören Sie der Kassette zu.

wie versprochen	*as promised*
Jetzt können wir einen Vergleich machen	*Now we can make a comparison*
Ich habe schon alles verglichen	*I've already compared everything*
sehen Sie	*look*
Ich habe meinen Kommentar geschrieben	*I've written my comments*

Renate Knopf:	Herr Fischer, hier ist ein Fax für Sie. Wie versprochen hat Frau Zimmermann ihr Angebot bestätigt.
Franz Fischer:	Hat sie alle Informationen gegeben?
Renate Knopf:	Ja, Herr Fischer.
Franz Fischer:	Gut. Wir haben die drei Hotels besichtigt. Jetzt können wir einen Vergleich machen.
Renate Knopf:	Ich habe diese Liste für uns gemacht, Herr Fischer. Ich habe schon alles verglichen. Sehen Sie, ich habe die Preise notiert, Notizen gemacht und meinen Kommentar geschrieben.
Franz Fischer:	Haben wir jetzt alle Informationen?
Renate Knopf:	Nein. Ich finde, wir müssen noch drei Kernfragen stellen.

Aufgaben

A Was verstehen Sie?

1 Was steht im Fax?

2 Was hat Frau Knopf gemacht?

3 Wieviele Fragen gibt es?

B Wer, was, wann, wieviel?/*Who, what, when, how many?*

Asking precise questions. Provide the right question to fit these answers.

z.B. *Wir* können einen Vergleich machen
Wer kann einen Vergleich machen?

1 *Frau Zimmermann* hat das Angebot bestätigt

2 Frau Zimmermann hat *das Angebot* bestätigt

3 *Jetzt* können wir einen Vergleich machen

4 Jetzt können wir *einen Vergleich* machen

5 Frau Knopf hat *einen Kommentar* geschrieben

6 Frau Knopf *hat* einen Kommentar *geschrieben*

7 Herr Fischer hat *drei* Hotels verglichen

8 Herr Fischer hat *drei Hotels* verglichen

9 Wir wollen *noch drei* Kernfragen stellen

10 Wir wollen *noch drei Kernfragen stellen*

C   **Nicht zu vergessen!/*Don't forget!***

You were left a list of things to do. You write a note to say you've done them. Complete the following sentences.

z.B. Termin mit Herrn Fischer organisieren
      Ich habe den Termin mit Herrn Fischer organisiert

1 Speisekarte neu schreiben

2 Preise noch einmal vergleichen

3 Möglichkeiten im Anbau studieren

4 Flexibilität bestätigen

5 Geräteliste nehmen

6 Preisliste für 1992 finden

7 Termin mit Firma Continental vereinbaren

8 Ihre Fragen stellen

9 Konferenzprospekt schicken

10 Verkehrsverein besuchen

D   **Wir müssen noch drei Kernfragen stellen**

Frau Knopf hat folgende Notizen gemacht:

1 Bis wann können wir absagen?

2 Wer ist für uns die Kontaktperson?

3 Kann das Hotel einen Einführungspreis anbieten?

4 Provisorisch buchen?

Nach Absprache mit Herrn Fischer schreibt sie jetzt einen Brief an das Hotel Europa. Welche Informationen fehlen?

Continental

Hotel Europa
Mozartstraße 45
z. H. Frau ZIMMERMANN

Continental AG
Postfach 380
9870 Schönstätten 1

Telefon: 0911/767-2891
Telefax: 0911/767-2889

Ihr Zeichen	Ihre Nachricht vom	Unser Zeichen	Datum
		FJF/Knopf	6. Mai 1992

Betr. : Winterpräsentation

Sehr geehrte Frau Zimmermann,

wir beziehen uns auf unser Gespräch von gestern.

Bitte buchen Sie .... den Konferenzraum Berlin für Dienstag Woche 38.

Für weitere Informationen zu folgenden Punkten wären wir dankbar.

1. Bis wann können wir .... ?
2. Wer ist für uns die .... ?
3. Kann das Hotel einen .... anbieten?

Mit freundlichen Grüßen

R. Knopf

Firma Continental AG
Verkauf

Vorsitzender des Aufsichtsrats: Georg Erhard
Geschäftsführung: Dr Stefan Berger, Dr Rolf Falk
Sitz der Gesellschaft ist Schönstätten   Handelsregister Nr. B7492

Landesbank Schönstätten
(BLZ 203 918 33) 3461 290

Postgiro Schonstätten
(PLZ 250 300 40) 355 40-903

Dialog 4

Im Hotel Europa beantworten Petra Zimmermann und Andreas Breitner die Post.

 Lesen Sie diese Ausdrücke. Dann hören Sie der Kassette zu.

Das habe ich gewußt	*I knew it*
Sie haben recht	*You're right*
Sie haben um weitere Informationen gebeten	*They've asked for more information*
Sehen Sie nicht, was sie gemacht haben?	*Don't you see what they've done?*
Ist das nicht wunderbar?	*Isn't that wonderful?*

Andreas Breitner:	Die Firma Continental hat geschrieben. Das habe ich gewußt! Sie hat bestimmt unser Angebot angenommen.
Petra Zimmermann:	Sie haben recht. Sie hat geschrieben aber noch nicht bestätigt. Sie möchte nur provisorisch buchen. Sie hat um weitere Informationen gebeten und hat drei Fragen gestellt.
Andreas Breitner:	Aber Frau Zimmermann. Das ist sehr positiv. Sehen Sie nicht, was die Firma gemacht hat? Ich glaube, daß sie alle Angebote durchgelesen hat und unser Hotel ausgewählt hat. Ist das nicht wunderbar?
Petra Zimmermann:	Herr Fischer hat diese Fragen gestellt, denn er möchte mit uns verhandeln. Ich kenne diese Verkaufsleiter!

Aufgaben

A   Was verstehen Sie?

   1 Was hat Hotel Europa von Firma Continental bekommen?

   2 Was möchte Firma Continental?

   3 Was glaubt Petra Zimmermann?

B   Shades of meaning

Re-write the following sentences in the past without using *möchte, konnte, mußte, wollte.*

z.B. Ich möchte mithören
     Ich habe mitgehört

 1 Er wollte unser Hotel aussuchen

 2 Wir mußten den Kaufpreis aushandeln

3 Sie wollten das Hotel kennenlernen

4 Wann wollte der Kunde die Sitzordnung auswählen?

5 Der Verkaufsleiter wollte nicht zuhören

6 Unsere Leute konnten nicht weiterarbeiten

7 Wann wollten Sie die Unterlagen zurückschicken?

8 Er wollte seinen Chef vorstellen

9 Wollte die Firma die Prospekte nicht mitschicken?

10 Ich möchte mithören

C   Shades of meaning

Complete these sentences using the correct form of the verb.

z.B. Ich habe ihn lange nicht (*wiedersehen*)
Ich habe ihn lange nicht wiedergesehen

1 Der Kunde hat alle Preise und Prospekte (*mitnehmen*)

2 Unsere Marketingabteilung hat die Adressen (*herausfinden*)

3 Haben Sie das Restaurant (*ausprobieren*)?

4 Was für ein Konferenz-Package hat das Hotel (*anbieten*)?

5 Haben Sie Ihren Kaffee schon (*austrinken*)?

6 Er hat die Unterlagen nicht (*zurückbringen*)

7 Firma Continental hat heute schon zweimal (*anrufen*)

8 Hier ist ihr Angebot. Haben Sie es (*durchlesen*)?

9 Ich habe ihn lange nicht (*wiedersehen*)

10 Der Vertreter hat noch nicht (*zurückrufen*)

D   Einen Brief beantworten

Welche Antwort bekommt Herr Fischer von Frau Zimmermann?
Besprechen Sie diese Alternativen mit einem Partner, und wählen Sie zu den drei Fragen jeweils eine passende Antwort aus:

absagen:	bis zwei Monate vor der Tagung ohne Unkosten	☐
	wir empfehlen eine Versicherung	☐
	im Falle einer Absage trägt der Kunde alle Kosten	☐
Kontaktperson:	Kontakt jederzeit mit dem Bankettbüro möglich	☐
	persönliche Betreuung durch Frau Zimmermann	☐
	Herr Breitner betreut die Tagungsgäste	☐

Einführungspreis: keine Reduktion möglich ☐

für Tagungen gilt ein Saisonpreis nur im August ☐

wir können gern über einen Einführungspreis sprechen ☐

Verlieren Sie diese Antworten nicht. Sie brauchen sie für Ihr nächstes Gespräch mit Herrn Fischer.

E   Details klären

Was fragt Herr Fischer?   Was sagt Frau Zimmermann?

●●●

Deutschland

Firmenstruktur ———————————

Was ist . . .

● *eine AG?*
Eine Aktiengesellschaft hat als Minimum fünf Aktionäre und ein Eröffnungskapital von DM 100.000,00, sowie einen Vorstand und einen Aufsichtsrat. Eine typische AG ist eine große Firma. Beispiele sind: Siemens AG und Volkswagenwerk AG.

● *eine GmbH?*
Eine Gesellschaft mit beschränkter Haftung hat ein Aktienkapital von mindestens DM 50.000,00. Sie hat auch einen Vorstand aber sie hat einen Aufsichtsrat erst dann, wenn sie mehr als 500 Angestellte hat. Eine typische GmbH ist eine mittelgroße oder eine kleine Firma. Die meisten Firmen in der Bundesrepublik sind Gesellschaften mbH. Einige große Firmen haben auch diese Struktur, wie zum Beispiel Bosch GmbH Stuttgart.

AG structure

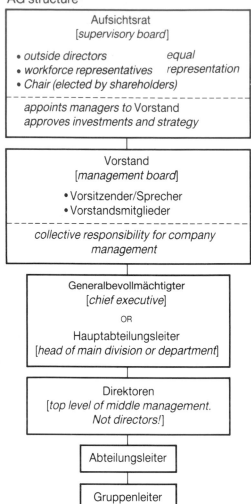

GmbH structure

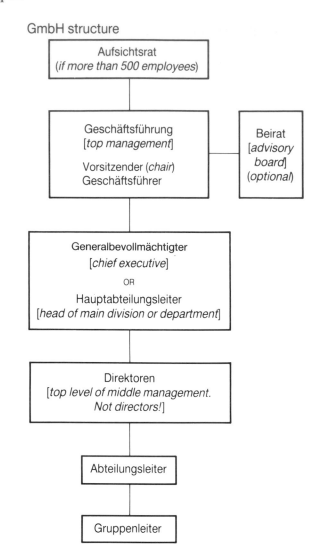

Andere Firmentypen sind:

- *die OHG:* Offene Handelsgesellschaft
- *die KG:* die Kommanditgesellschaft
- *die KGaA:* die Kommanditgesellschaft auf Aktien
- *die Zweigniederlassung.*

Die Treuhandanstalt _____

Following the collapse of the communist system in the former German Democratic Republic, the *Treuhandanstalt*, or trust, was set up to oversee the transfer into private ownership of some 8000 firms formerly owned by the East German state.

The introduction of the *Deutsche Mark* in the former GDR placed the future of these companies under threat. It was widely expected that many of them would close down, bringing mass unemployment to the GDR. By the end of 1990, unemployment in the former GDR had already reached 2.3 million. The (Western) management of the *Treuhandanstalt* has concentrated on selling these companies to new owners, with some success. However, the process has been slow because of the very large number of claims for ownership of buildings and land, which the *Treuhandanstalt* is also processing.

Wie viele Betriebe werden überleben?

Auf die Frage, wie viele „Betriebe in der früheren DDR nicht mehr konkurrenzfähig sind und wohl stillgelegt werden müssen", antworteten

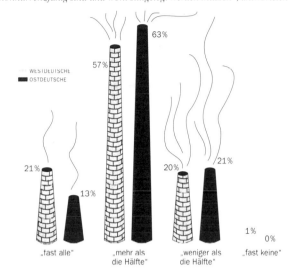

WESTDEUTSCHE
OSTDEUTSCHE

63%
57%
21%
13%
20%
21%
1%
0%

„fast alle"   „mehr als die Hälfte"   „weniger als die Hälfte"   „fast keine"

Die Währungsunion

Monetary union came into effect on 2 July 1990. The old East German currency ceased to exist and the *Deutsche Mark* became legal tender throughout Germany. On 1 July 1990, East Germans could exchange their old currency (also called the Mark) for the *Deutsche Mark* on a 1 : 1 basis, as follows:

Children up to the age of 14: up to 2000 East German Marks

from ages 15 to 59 inclusive: up to 4000 East German Marks

from age 60 upwards: up to 6000 East German Marks

Further sums could be exchanged on a 2 : 1 basis.

Monetary union led to a great demand for foodstuffs and consumer goods, particularly domestic appliances and cars.

It also acted as an incentive to many people to start up their own businesses. In August 1990, 30,000 new companies were established in the former GDR.

Jetzt sprechen Sie

Sie können:

- *give simple reasons*
  Er hat diese Fragen gestellt, denn er möchte mit uns verhandeln

- *state your next course of action*
  Jetzt können wir einen Vergleich machen

- *identify what you still have to do*
  Wir müssen noch drei Kernfragen stellen

- *introduce a summary*
  Fassen wir zusammen

- *add a reminder*
  Nicht zu vergessen

- *ask someone to repeat*
  Was haben Sie gesagt?

- *add specific details*
  . . . und zwar für den Verkehrsverein

Was steht heute auf der Tagesordnung?

In Stage 6, you will

- practise summarising information
- practise participating in meetings
- practise making appointments
- learn the names of some countries

It's 8.30 on Monday morning. Dieter Brandt, the general manager at Hotel Europa, Petra Zimmermann, the meetings services manager, and Jochen Hoffmann, customer services, are holding their weekly management meeting.

● ● ●

There are two main points for discussion: job applications and preparations for Christmas and the New Year.

● ● ●

Hotel Europa has advertised for a marketing assistant. Herr Brandt summarises the background and the management team discusses the applications.

● ● ●

The hotel always looks its best over the Christmas and New Year period. The management team continues its meeting by discussing quotes from suppliers of decorations and accessories.

● ● ●

At the end of the meeting the team sets a date for the following week.

Vorbereitung

Welche Berufserfahrungen hat Herr Hemeyer?

Jahr	Firma	Stelle
vor 1972		
1972		

1984		
1989		
1990		

MITARBEITER-PORTRAIT

DIE FREUNDLICHE STIMME

Beratung und Reservierung bundesweit zum Nulltarif

Die relexa-Reservierungs-Zentrale Tel. 01 30/91 10: Unter dieser Nummer melden sich seit April 1990 Ute Macke-Schadek und Vera Focks mit: "relexa-Hotelgesellschaft, mein Name ist ... Guten Tag". Mit freundlicher Stimme nehmen diese Damen die Wünsche der relexa-Hotelgäste entgegen - und alles dies bundesweit zum Nulltarif!

Die relexa-Reservierungs-Zentrale wird geleitet von Karl Hemeyer. Der gelernte Bankkaufmann sammelte seine ersten Verkaufserfahrungen vor 20 Jahren bei der Hertz Autovermietung. 1984 übernahm er die Position des Verkaufsleiters Nord der Sixt Budget Autovermietung. 1989 ging Karl Hemeyer für ein Jahr zur PR Agentur nach Hamburg, um die Presse- und Öffentlichkeitsarbeit aus Agentursicht kennenzulernen. Zu Beginn des neuen Jahrzehnts kam Hemeyer zur relexa hotel GmbH und übernahm die Position des Direktors für Verkauf und Öffentlichkeitsarbeit.

Dialog 1

Es ist Montag 8 Uhr 30. Dieter Brandt, Petra Zimmermann und Jochen Hoffmann sind in einer Besprechung.

 Lesen Sie diese Ausdrücke. Dann hören Sie der Kassette zu.

Wie geht es Ihnen?	*How are you?*
Entschuldigen Sie, daß ich so spät komme	*Sorry I'm so late*
Ich mußte einen Kunden anrufen	*I had to phone a customer*
Was steht heute auf der Tagesordnung?	*What's on the agenda today?*
Ich schlage vor, daß wir damit beginnen	*I suggest starting with that*

Dieter Brandt:	Guten Morgen, Herr Hoffmann. Wie geht es Ihnen? Ich hoffe, Sie haben eine gutes Wochenende verbracht?
Jochen Hoffmann:	Sehr schön, danke. Und Sie?
Dieter Brandt:	Ach ja, danke. Wir haben meine Schwester und ihre Familie besucht. Das war sehr nett. Aber wo ist Frau Zimmermann? Ist sie heute nicht da?
Jochen Hoffmann:	Doch, doch. Ich habe sie vorhin gesehen. Ach, da kommt sie!
Petra Zimmermann:	Entschuldigen Sie bitte, daß ich so spät komme. Ich mußte schnell einen Kunden anrufen.
Dieter Brandt:	Aber bitte. Kein Problem. Aber wir müssen schnell zur Sache kommen, weil ich um zehn Uhr einen Termin im Rathaus habe.
Jochen Hoffmann:	Was steht heute auf der Tagesordnung?
Dieter Brandt:	Die Bewerbungen für die Stelle als Marketingassistenten sind sehr wichtig. Ich schlage vor, daß wir damit beginnen.

Aufgaben

A Was verstehen Sie?

1 Was hat Dieter Brandt am Wochenende gemacht?

2 Warum ist Petra Zimmermann so spät gekommen?

3 Warum hat Dieter Brandt nicht viel Zeit?

4 Womit beginnen sie ihre Diskussion?

B Prefacing remarks

You can use an introductory phrase followed by *daß* to prepare or modify messages. Re-state the following using the introductory phrase given.

z.B. Beginnen wir damit (*ich schlage vor*)
Ich schlage vor, daß wir damit beginnen

1 Das Zimmer ist zu klein (*ich glaube*)

2 Diese Woche vergeht sehr schnell (*wir finden*)

3 Die Vertreter arbeiten gut (*sie meinen*)

4 Unser Verkaufsleiter trifft die Entscheidung (*ich nehme an*)

5 Unsere Leute fassen das System zusammen (*sie schlägt vor*)

6 Wir kennen die Qualität (*Sie wissen*)

7 Er hat keinen Plan (*vergessen Sie nicht*)

8 Ich finde den Vergleich sehr praktisch (*ich möchte sagen*)

9 Wir können die Zeitplanung diskutieren (*er verspricht*)

10 Die Sitzordnung ist gut (*er findet*)

C Es ist Montag 8 Uhr. Herr Maier und Frau Graf besprechen das Wochenende und die Termine für heute.

1 Arbeiten Sie mit einem Partner, um das Gespräch richtig einzuordnen. Den Anfang sehen Sie schon. Wie geht das Gespräch weiter?

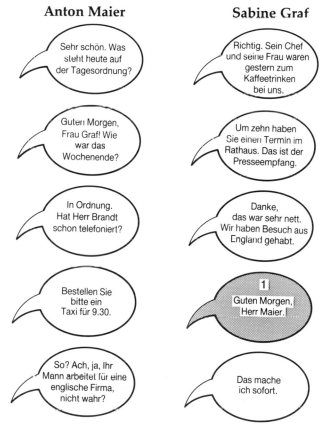

2 Haben Sie das Gespräch richtig eingeordnet? Hören Sie der Kassette zu, und lesen Sie mit.

Dialog 2

Herr Brandt und seine Mannschaft besprechen die Bewerbungen für die Stelle als Marketingassistenten.

 Lesen Sie diese Ausdrücke. Dann hören Sie der Kassette zu.

Ich bin der Meinung, daß wir einen Marketingassistenten brauchen	*It's my opinion that we need a marketing assistant*
Wenn ich zusammenfassen darf . . .	*If I may sum up . . .*
Erklären Sie uns, warum Sie diese Personen ausgewählt haben	*Explain why you've selected these people*
Weil er wieder in Deutschland arbeiten möchte	*Because he wants to work in Germany again*

Dieter Brandt:	Dieses Jahr haben wir unsere Kapazität erweitert, und ich bin der Meinung, daß wir jetzt einen Marketingassistenten, beziehungsweise eine Marketingassistentin brauchen.
Jochen Hoffmann:	Einverstanden. Diese Person muß neue Kunden für uns gewinnen.
Petra Zimmermann:	Also, wenn ich zusammenfassen darf, wir haben insgesamt neun Bewerbungen erhalten. Diese Bewerbungen habe ich jetzt sortiert. Meiner Meinung nach sind drei Leute für uns interessant.
Dieter Brandt:	Erklären Sie uns bitte, warum Sie diese drei Personen ausgewählt haben.
Petra Zimmermann:	Dieser Bewerber zum Beispiel hat sehr gute Berufserfahrungen. Er hat als stellvertretender Empfangsleiter in einem internationalen Hotel in der Schweiz gearbeitet.
Jochen Hoffmann:	Und warum will er bei uns arbeiten?

Petra Zimmermann:	Weil er aus Deutschland kommt, und weil er wieder in Deutschland arbeiten möchte.
Dieter Brandt:	Und die anderen Bewerber?
Petra Zimmermann:	Die eine Bewerberin ist eine Französin, die ihr Hotelstudium in England abgeschlossen hat. Sie spricht drei Fremdsprachen. Das ist sehr wichtig. Und der dritte ist unser Herr Breitner, den wir ja alle kennen.
Jochen Hoffmann:	Ich schlage vor, daß wir sie alle zu einem Vorstellungsgespräch einladen.
Dieter Brandt:	Einverstanden.

Aufgaben

A Was verstehen Sie?

1 Warum braucht das Hotel einen Marketingassistenten (-in)?

2 Wieviele Bewerbungen hat das Hotel erhalten?

3 Wieviele Bewerber hat Frau Zimmermann ausgewählt?

4 Ein Bewerber arbeitet im Moment in der Schweiz. Warum möchte er die Stelle haben?

5 Warum ist die Französin für das Hotel interessant?

 B Being more precise by describing things

Add the correct ending to the adjectives in the following sentences:

z.B. Er hat gut....... Berufserfahrungen
       Er hat *gute* Berufserfahrungen

1 Als erst....... Möglichkeit haben wir den Montag

2 Wir suchen sowohl richtig....... Material als auch gut....... Qualität

3 Ruhig....... Diskussionen sind in der Sitzecke möglich

4 Schwierig....... Kunden sind überall

5 Mittelgroß....... Hotels findet man jederzeit beim Verkehrsverein

6 Hier sehen Sie interessant....... Preise auf unserer Liste

7 Möglich....... Systeme sind sicherlich hier im Hause zu finden

8 Auf der Tagesordnung steht jetzt 'modern....... Zubehör'

9 Sehr wichtig für unsere Firma ist höher....... Flexibilität

10 Herzlich....... Dank für Ihren Empfang

C   Aus der Tagespresse

DAS HOTEL EUROPA
sucht
für seine Verkaufsabteilung
einen/eine Marketingassistenten/in.

Wir haben unsere Kapazität erweitert und
suchen deswegen einen/eine Mitarbeiter/in mit
guten Berufserfahrungen.
Sie sollen für uns neue Kunden aus dem In- und
Ausland gewinnen!
Wir bieten eine freundliche Atmosphäre
und ein gutes Gehalt an.

Bewerbungen mit den üblichen Unterlagen richten
Sie bitte bis zum 15. Mai

an Herrn Dieter Brandt

Geschäftsführer, Hotel Europa
Mozartstraße 45

1 Marie-Luise Höfer interessiert sich für diese Stelle. Hier ist ihr Lebenslauf.

Name	Marie-Luise Höfer
Geburtsdatum	20.12.1966
Geburtsort	Brüssel, Belgien
Eltern	Martin Paul Höfer, Jurist und seine Ehefrau, Katharina Höfer, geb. Forstweg, Hausfrau
Staatsangehörigkeit	deutsch
Schule	Deutsche Schule, Brüssel
Zeugnisse	Abitur, Note 2,1
Studium	Internationale Hotelschule, Zürich
Beruf	Hotel-Wirtin (grad.)
Fremdsprachen	Französisch und Englisch
Berufserfahrung	
1984 – 1986	Studium in der Schweiz
1986 – 1987	Hotel Zürcher Hof, Basel, Empfangsassistentin
1987 – 1988	Hotel Versailles, Avignon, France Marketingabteilung
1988 – 1990	Hotel Rheingold, Heidelberg Verkaufs- und Öffentlichkeits-Büro
1990 –	Empfangsleiterin, Hotel Rheingold

2 Besprechen Sie diesen Lebenslauf mit einem Partner.
Was spricht für diese Bewerbung?
Was spricht gegen sie?
Machen Sie bitte Notizen nach folgendem Muster.

Eigenschaft	**Bewertung** (positiv/negativ)
Ausbildung	
Berufserfahrung	
Fremdsprachen	

3 Besprechen Sie Ihre Bewertung mit den anderen Mitgliedern in Ihrer Gruppe.

D Rollenspiel – das Vorstellungsgespräch

Anwesend sind: der Personalleiter/die Personalleiterin
der Verkaufsleiter/die Verkaufsleiterin
der Bewerber/die Bewerberin

- Der Personalleiter sucht vollständige Informationen über den Bewerber.
- Der Verkaufsleiter interessiert sich für die Berufserfahrungen im Bereich Verkauf.
- Der Bewerber möchte sich über die Firma und die Stelle informieren.

Dialog 3 ──────────────────────────────────────

Die Mannschaft bespricht die Angebote für das Zubehör.

 Lesen Sie diese Ausdrücke. Dann hören Sie der Kassette zu.

Jetzt kommen wir zum nächsten Punkt auf unserer Tagesordnung	*Now we come to the next item on our agenda*
Vom Preis her sind sie alle mehr oder weniger gleich	*In terms of price they're all more or less the same*
Das hat nichts ausgemacht	*It didn't make any difference*
Außerdem fürchte ich, daß die Firma nichts Neues anbietet	*In addition I don't think the firm is offering anything new*

Dieter Brandt:	Also, jetzt kommen wir zum nächsten Punkt auf unserer Tagesordnung, zum Thema Weihnachts- und Sylvesterprogramm. Zuerst das Zubehör. Wir haben drei Angebote bekommen. Haben Sie Zeit gehabt, sie zu überprüfen?
Jochen Hoffmann:	Ja. Vom Preis her sind sie alle mehr oder weniger gleich. Das Angebot von der Nürnberger Firma ist zwar ein bißchen teurer, aber die Firma bietet ja auch mehr an.

Petra Zimmermann:	Haben wir schon Erfahrungen mit dieser Firma?
Dieter Brandt:	Ja, schon vor drei Jahren hat diese Firma uns beliefert. Die Qualität war gut, aber die Lieferung ist nicht pünktlich eingetroffen. Das hat zwar nichts ausgemacht, aber immerhin . . .
Petra Zimmermann:	Und welche Firma haben wir letztes Jahr beauftragt?
Jochen Hoffmann:	Das war die Firma Nikolaus. Sie wissen, daß das eine sehr kleine Firma ist, und daß die Qualität ausgezeichnet ist. Aber ihr Sortiment ist klein, und außerdem fürchte ich, daß die Firma dieses Jahr nichts Neues anbietet.
Dieter Brandt:	Das geht nicht. Wir wollen, nein wir müssen, unseren Service für den Kunden ständig verbessern. Was meinen Sie zum dritten Angebot?
Petra Zimmermann:	Ich bin der Meinung, daß wir weitere Informationen brauchen.
Jochen Hoffmann:	Können Sie mit dem Vertreter sprechen?

Aufgaben

A   Was verstehen Sie?

1 Was ist der nächste Punkt auf der Tagesordnung?

2 Wie sind die Angebote vom Preis her gesehen?

3 Welchen Vorteil hat die Nürnberger Firma?

4 Wie steht es mit ihrem Preis?

5 Welchen Vorteil hat die Firma Nikolaus?

6 Was ist das Problem mit Firma Nikolaus?

7 Was wollen sie vom dritten Lieferanten?

 B   Add the correct ending to the adjectives in the following sentences.

z.B. Wo ist unsere heutig....... Tagesordnung?
    Wo ist unsere *heutige* Tagesordnung?

1 Wann kommt unsere neu....... Verkaufsleiterin?

2 Es ist mein persönlich....... Wunsch, daß man nicht raucht

3 Ein international....... Gespräch braucht aber mehr Zeit

4 Haben Sie einen ander....... Vorschlag gehört?

5 Haben wir denn für heute keine schriftlich.......
Tagesordnung?

6 Wir bieten ein sehr intensiv....... Programm an

7 Ich muß sagen, daß ich ihre erst....... Vergleiche nicht
verstanden habe

8 Drei Mitarbeiter wollen ihre beruflich……. Erfahrungen erweitern

9 Unsere klein……. Geräte hier sind besonders flexibel

10 Hat sie Ihnen ihre provisorisch……. Termine gegeben?

 C   Ein Telefongespräch

Nach der Besprechung telefoniert Herr Hoffmann mit der Firma Gebhard und Klein, um weitere Informationen über ihr Angebot für Weihnachts- und Sylvesterzubehör zu bekommen.
Hören Sie dem Gespräch gut zu und machen Sie zu diesen Punkten Notizen.
Verlieren Sie diese Notizen nicht! Sie brauchen sie für Ihre nächste Besprechung mit Herrn Brandt!

Sortiment:

Lieferung:

Preis: inkl. MWSt.?

Mengenrabatt:

Skonto:

Sonstiges:

Dialog 4

Die Mannschaft organisiert die Vorstellungsgespräche.

 Lesen Sie diese Ausdrücke. Dann hören Sie der Kassette zu.

heute in einer Woche	*a week today*
Ich komme erst am Mittwoch wieder	*I'm not back until Wednesday*
Das geht auch bei mir	*I can manage that too*
Sie haben mir schon Bescheid gesagt	*You've already told me*

Dieter Brandt:	So, ich glaube, daß wir alles erledigt haben. Oder habe ich etwas vergessen?
Jochen Hoffmann:	Wollen wir einen Termin für die Vorstellungsgespräche vereinbaren?
Dieter Brandt:	Gute Idee. Wo habe ich meinen Zeitplaner? So, heute in einer Woche vielleicht?
Petra Zimmermann:	Dann bin ich nicht da, Herr Brandt. Ich besuche die Messe in

Frankfurt und komme erst am Mittwoch wieder. Haben Sie am Donnerstag Zeit?

Dieter Brandt: Ach ja, richtig. Sie haben mir schon Bescheid gesagt. Ja, dann nächste Woche am Donnerstag. Das geht bei mir. Geht das bei Ihnen Herr Hoffmann?

Jochen Hoffmann: Ja, das geht auch bei mir.

Dieter Brandt: Prima. Bis dann haben wir hoffentlich auch weitere Informationen über das Weihnachtszubehör.

Aufgaben

A   Was verstehen Sie?

1 Was möchte die Mannschaft entscheiden?

2 Warum ist Petra Zimmermann nächsten Montag und nächsten Dienstag nicht da?

3 Wann kommt sie wieder?

4 Welchen Termin wählen sie aus?

B   Referring to people

Put the correct form of *ich, Sie, er, sie, wir* into the following sentences

z.B. Das geht bei (*ich*)
Das geht bei mir

1 Können Sie zu (*wir*) .... in die Firma kommen?

2 Leider habe ich die Preise von (*sie* – they) .... nicht bekommen

3 Wir haben den Prospekt erst nach (*er*) .... gelesen

4 Wann waren Sie bei (*sie – she*) ....?

5 Wie sieht die Zukunft bei (*sie – they*) .... aus?

6 Er hat die Messe mit (*ich*) .... noch nicht diskutiert

7 Wohin wollen Sie mit (*sie – she*) .... gehen?

8 Er arbeitet nicht mehr bei (*sie – they*) ....

9 Bitte schön – nach (*Sie*) .... Frau Zimmermann

10 Was wissen Sie schon von (*wir*) ....?

C   Einen Termin vereinbaren

Renate Knopf telefoniert mit Andreas Breitner. Sie möchte für Herrn Fischer einen Termin mit Frau Zimmermann vereinbaren.

Sie sind Renate Knopf

Sie melden sich Sie möchten mit Frau Zimmermann sprechen.

Sie geben den Grund für Ihren Anruf.

Sie machen einen Vorschlag.

Dieser Termin geht in Ordnung. Sie sagen Herrn Fischer Bescheid.

Sie sind Andreas Breitner

Sie melden sich. Sie erklären, daß Frau Zimmermann in einer Besprechung ist. Sie möchten helfen.

Sie fragen, wann Herr Fischer kommen möchte.

Das ist leider nicht möglich. Sie nennen eine Alternative.

Sie bestätigen alles, und Sie sagen Frau Zimmermann Bescheid.

D   Ein Denkzettel

Sie sind Andreas Breitner.
Nach diesem Telefongespräch schreiben Sie kurz einen
Denkzettel für Frau Zimmermann.
Was schreiben Sie?

E   Rollenspiel

Sie nehmen an einer Besprechung im Hotel Europa teil. Ihr
Ziel ist, einen Termin für die Vorstellungsgespräche
festzulegen.
Die Teilnehmer sind Dieter Brandt, Jochen Hoffmann und
Petra Zimmermann.

Die Tagesordnung: **1** Weihnachtszubehör – JH
2 Hotel-Messe in Frankfurt – PZ
3 Termin für die Vorstellungsgespräche
– alle

Die Rollen

Dieter Brandt

1 Sie eröffnen und leiten das Gespräch

2 Sie stellen die Tagesordnung vor

3 Sie beantworten eine Frage von Petra Zimmermann

4 Sie fassen zusammen

Jochen Hoffmann

1 Sie berichten über die Firma Gebhard und Klein
(Weihnachtszubehör)
● Sie haben telefoniert
● Sie haben folgende Informationen (*siehe Notizen*)

2 Sie beantworten eine Frage von Petra Zimmermann
darüber

3 Sie machen Ihre Empfehlung

4 Sie haben nächste Woche am Dienstag und am Donnerstag
Zeit für eine Besprechung

Petra Zimmermann

1 Sie stellen eine Frage über die Firma Gebhard und Klein an
Herrn Hoffmann

2 Sie berichten über die Messe
- viele Interessenten
- Kontakt mit einem französischen Hotel

3 Sie stellen eine Frage über die Vorstellungsgespräche an
Herrn Brandt

4 Sie haben nächste Woche am Montag und Dienstag keine
Zeit für eine Besprechung

Deutschland

Urlaub und Freizeit

Die Deutschen haben im Durchschnitt fünf Wochen Urlaub im Jahr. Sie reisen gern, zum Skifahren im Winter und an die Sonne im Sommer. Beliebte Urlaubsziele sind das Mittelmeer, Spanien und die französische Atlantik-Küste. Deutsche aus der ehemaligen DDR können erst seit November 1989 ohne Schwierigkeiten ins westliche Ausland reisen. Für sie ist das Reisen besonders wichtig; im Jahre 1990 machten über 60% eine längere Urlaubsreise.

Ost-Deutsche sind häuslicher

Emnid legte eine Liste mit 41 Freizeitbeschäftigungen vor. Mindestens ein Drittel der Ost-Deutschen und/oder der West-Deutschen widmet sich den folgenden davon „häufig" oder „manchmal":

Westdeutsche	Tätigkeit	Ostdeutsche
78%	Zeitung lesen	91%
74%	Fernsehen: Unterhaltung/Sport	78%
74%	Zu Hause gemütlich sitzen	84%
70%	Besuch machen, Besuch haben	81%
62%	Illustrierte lesen	77%
60%	Spazierengehen	66%
56%	Telefonieren mit Freunden	28%
52%	In ein Restaurant gehen	41%
50%	Fernsehen: Politik/Kultur	68%
47%	Stadtbummel	56%
47%	Ausflüge	57%
42%	Einkaufen ohne Zeitdruck	48%
41%	Musik konzentriert hören	47%
41%	Im Garten arbeiten	54%
39%	Anspruchsvolle Bücher lesen	43%
37%	Mit Kindern spielen	56%
37%	Schwimmen gehen	30%
36%	Karten- oder Brettspiele	34%
36%	Selbst Sport treiben	26%
35%	Kochen, backen	47%
34%	Sich weiterbilden (Bücher/Kurse)	39%
31%	Wohnung renovieren	50%
28%	Basteln und werken	37%
27%	Auto, Fahrrad warten	39%
27%	Sich mit Haustieren beschäftigen	36%
26%	Handarbeiten (Stricken, Nähen)	36%
23%	Sich um Mitmenschen kümmern	42%

WESTDEUTSCHE ■ OSTDEUTSCHE

Gesetzliche Feiertage _____

- in allen Bundesländern

Neujahr	*1. Januar*
Karfreitag	*zwischen Ende März und Mitte April*
Ostermontag	*zwischen Ende März und Mitte April*
Tag der Arbeit	*1. Mai*
Christi Himmelfahrt	*Mai*
Pfingstmontag	*Ende Mai/Anfang Juni*
Tag der deutschen Einheit	*3. Oktober*
Buß- und Bettag	*am 3. Mittwoch im November*
1. Weihnachtstag	*25. Dezember*
2. Weihnachtstag	*26. Dezember*

- in einigen Bundesländern

Drei Könige	*6. Januar*
Fronleichnam	*Mai/Juni*
Maria Himmelfahrt	*15. August*
Allerheiligen	*31. Oktober (evangelisch)*
	1. November (katholisch)

Rosenmontag (der letzte Montag vor der Fastenzeit) ist kein gesetzlicher Feiertag, aber viele Leute arbeiten an dem Tag nicht.

• •

Jetzt sprechen Sie

▶ Sie können:

- *check whether you have remembered everything*
  Habe ich etwas vergessen?

- *suggest making an appointment*
  Wollen wir einen Termin vereinbaren?

- *check people's availability*
  Haben Sie am Donnerstag Zeit?

- *confirm*
  Das geht bei mir

- *promise confirmation*
  Ich sage Ihnen Bescheid

- *introduce the next item on the agenda*
  Jetzt kommen wir zum nächsten Punkt
    auf unserer Tagesordnung

- *express anxiety*
  Ich fürchte, daß . . .

- *give reasons*
  Weil er wieder in Deutschland arbeiten
    möchte

- *ask for explanations*
  Erklären Sie uns, warum Sie diese
    Personen ausgewählt haben

- *make suggestions*
  Ich schlage vor, daß wir sie einladen

- *apologise for arriving late*
  Entschuldigen Sie bitte, daß ich so spät
    komme

- *suggest which item to begin a meeting with*
  Ich schlage vor, daß wir damit beginnen

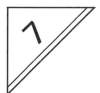

Ein perfekter Einkaufsdirektor

In Stage 7 you will start to
- explain your position
- specify details
- express a consequence
- come to an agreement

Franz Fischer comes to see Petra Zimmermann at Hotel Europa to try and arrange a mutually acceptable deal. He explains his position.

● ● ●

Although Petra Zimmermann cannot move on price, she does want the business. She looks at possible future orders from Franz Fischer and Firma Continental.

● ● ●

Petra Zimmermann suggests a break and uses the time to do some sums. She comes back to Franz Fischer with a suggestion and an offer.

● ● ●

Franz Fischer likes the sound of Petra Zimmermann's offer. He has one last question.

Vorbereitung

1 Study the advertisement on the next page to fill in the gaps in the following extracts. The missing words are all to do with restaurants or eating.

Ihr Restaurant hat einen besonders ....
ganz bequem .... serviert
so einfach zu handhaben wie .... und ....
ob er Radius 2000 schon .... hat
Egal, wie .... Ihr Lieblingsrestaurant hat

2 If you phone the number given, what will you be sent?

3 Will you have to pay for the call?

Telefon à la carte.

Dialog 1

Franz Fischer erklärt seine Position.

 Lesen Sie diese Ausdrücke. Dann hören Sie der Kassette zu.

dazu kommen . . .	*then there's . . .*
aus diesem Grund	*for this reason*
Ich verstehe	*I understand*
Ich überlege, wie ich Ihnen helfen kann	*I'm thinking how I can help you*
Ich habe keinen Spielraum	*I don't have any room for manoeuvre*

Franz Fischer: Der kleine Konferenzraum, das heißt der Konferenzraum Berlin, ist nicht groß genug. Wir haben 30 Mitarbeiter. Dazu kommen unsere technischen Geräte und eine kleine Ausstellung.

Petra Zimmermann:	Ich weiß. Aus diesem Grund haben wir den größeren Raum, Weimar, in unserem Angebot vorgeschlagen.
Franz Fischer:	Mit Ihrem größeren Raum habe ich ein Problem, und zwar ein finanzielles Problem. In diesem Jahr arbeite ich mit einem reduzierten Budget. Unser neuer Finanzdirektor ist sehr eifrig.
Petra Zimmermann:	Ich verstehe. Ich überlege, wie ich Ihnen helfen kann. September ist ein intensiver Monat speziell in unserer Branche. Ich habe auch keinen Spielraum.

Aufgaben

A   Was verstehen Sie?

1 Was ist das Problem mit Berlin?

2 Was ist das Problem mit Weimar?

3 Aus welchen Gründen ist der Preis in diesem Jahr so kritisch?

4 Warum hat Petra Zimmermann keinen Spielraum?

 B   Being precise

Put the correct ending onto the following adjectives.

z.B. Der *klein*....... Konferenzraum ist nicht groß genug
Der *kleine* Konferenzraum ist nicht groß genug

1 Diese neu....... Entscheidung bringt Probleme

2 Wann beginnt das eigentlich....... Programm?

3 Ich finde den erst....... Punkt nicht so wichtig. Und Sie?

4 Kennen Sie diese klein....... Ausstellung schon?

5 Aus diesem Grund habe ich das speziell....... Budget gesucht

6 Der Kunde meint, daß die letzt....... Bedingungen zu hart sind

7 Wissen Sie, wann die nächst....... Besprechungen beginnen?

8 Wir glauben, daß diese teuer....... Geräte technisch richtig sind

9 Ich möchte, daß wir die wichtigst....... Kommentare jetzt schnell notieren

10 Ich will, daß wir diese reduziert....... Angebote gleich diskutieren

  C Telefonbeantworter

Montag, der 20. Januar, 15 Uhr. Petra Zimmermann kommt wieder ins Büro. Auf ihrem Telefonbeantworter ist eine Anfrage von einem eventuellen Kunden. Hören Sie der Kassette zu, und machen Sie dann Notizen nach folgendem Muster.

HOTEL EUROPA
TELEFONNACHRICHT

An: _____

Von: _____

Firma/Abteilung: _____

Datum: _____ Uhrzeit: _____ Telefonnummer: _____

Dringend: _____ Ruft zurück _____ Bitte zurückrufen _____

Nachricht übermittelt von _____

NACHRICHT: _____

Dialog 2

Petra Zimmermann stellt Fragen über die Zukunft.

 Lesen Sie diese Ausdrücke. Dann hören Sie der Kassette zu.

 Es ist der erste Auftrag
ein jährliches Ereignis

*It's the first order
an annual event*

Wir erstatten die Unkosten	*We reimburse the costs*
im Durchschnitt	*on average*
dreimal im Jahr	*three times a year*
Machen wir eine kleine Pause	*Let's take a break*
Ich rechne etwas aus	*I'll do some calculating*

Petra Zimmermann: Für uns sind Sie ein neuer Kunde. Es ist der erste Auftrag. Wie steht es mit der Zukunft? Wie oft hält Ihre Firma wichtige Präsentationen oder bedeutende Treffen ab?

Franz Fischer: Regelmäßige Präsentationen, wie zum Beispiel in der Textilindustrie, halten wir nicht ab. Die Präsentation im September ist ein jährliches Ereignis. Sie findet normalerweise in unserem eigenen Hause, in unseren eigenen Räumen statt. Dreißig, fünfunddreißig Teilnehmer sind für uns wirklich eine Ausnahme.

Petra Zimmermann: Und Übernachtungen, bzw. Verpflegung? Wie steht es damit? Wo bringen Sie Ihre Leute unter?

Franz Fischer: Das überlassen wir den Mitarbeitern selber. Wir schicken ihnen eine Hotelliste vom Verkehrsverein. Sie reservieren selber. Wir erstatten ihnen die Unkosten später.

Petra Zimmermann: Wieviele Mitarbeiter im Durchschnitt? Und wie oft im Jahr?

Franz Fischer: Es handelt sich um fünfundzwanzig führende Mitarbeiter – im Durchschnitt dreimal im Jahr. Warum möchten Sie das wissen?

Petra Zimmermann: Ich habe eine andere Idee. Machen wir eine kleine Pause, Herr Fischer. Ich rechne etwas aus und mache Ihnen dann einen weiteren Vorschlag.

Franz Fischer: Gerne, Frau Zimmermann.

Aufgaben

A Was verstehen Sie?

1 Wo findet die Präsentation im September normalerweise statt?

2 Wer reserviert die Hotelzimmer zur Zeit?

3 Wie bezahlt Firma Continental die Hotelrechnungen für ihre Mitarbeiter?

4 Warum möchte Petra Zimmermann eine Pause machen?

B Who and what

As you become more involved in discussions, you'll want to be able to say 'who' and 'what'. Put in the correct form of the word indicated

z.B. *(die)* Auswahl überlassen wir *(die)* Mitarbeitern selber
Die Auswahl überlassen wir *den* Mitarbeitern selber

1 Ich möchte *(unser)* .... Mitarbeitern danken

2 Nein, er hat *(das)* .... Hotel *(der)* .... Termin nicht bestätigt

3 Haben Sie *(der)* .... Empfang *(Ihr)* .... Wünsche erklärt?

4 Ich habe *(das)* .... Verkehrsamt *(unser)* .... Prospekte schon geschickt

5 Das heißt, daß wir *(die)* .... Kunden nicht zugehört haben

6 Wann hat sie *(ihr)* .... Chef *(die)* .... Unterlagen gebracht?

7 Geben Sie bitte *(Ihr)* .... Mannschaft mehr Informationen

8 Wir wollen *(dies)* .... Firma *(kein)* .... Spielraum geben

9 Wann wollten wir *(die)* .... Teilnehmern *(ihr)* .... Unkosten erstatten?

10 Glauben Sie *(dies)* .... Person nicht?

C Frau Zimmermann ruft zurück

Sie sind Petra Zimmermann. Sie rufen Herrn Grünberg zurück, um Informationen über das Konferenz-Package zu geben. Leider ist er nicht im Buro. Lassen Sie eine Nachricht auf seinem Telefonbeantworter. Vergessen Sie nicht, Ihren Namen, den Tag und die Uhrzeit zu geben. Beantworten Sie für Herrn Grünberg folgende Fragen:

1 Haben Sie am 24. Mai einen Konferenzraum frei?

2 Wie groß ist er?

3 Welche technische Geräte stehen zur Verfügung?

4 Sind Kaffeepausen und Tagungsgetränke im Preis inbegriffen?

5 Wie steht es mit Mittagessen?

Tagungspaket I

'Konferenz-Package'

Unsere Leistungen:

Tagungsraum:	ca. 4m^2 pro Teilnehmer
Technik:	Overheadprojektor mit Leinwand Folie und Overheadstifte Pinwand Flipchart Papier und Stifte
Kaffeepause:	Büffet im Raum mit Tee und Kaffee, alkoholfreien Tagungsgetränken
Vormittags:	Aufwertung durch einen Obstkorb
Nachmittags:	Aufwertung durch ein Joghurtbüffet
Mahlzeiten:	Mittagessen/leichtes 3-Gang-Menü wahlweise Salatplatte als Hauptgang Abendessen/reichhaltiges Büffet mit knackigen Salaten, kalten und warmen Teilen sowie Dessertauswahl oder ein 3-Gang-Menü mit wahlweise kaltem oder warmem Hauptgang
Ihr Preis:	DM 88,50 pro Person/Tag Am Abreisetag beträgt der Preis DM 68,50, da das Abendessen entfällt

---

Woche Nr.	Tag	Berlin	Weimar
22	Montag 24.5		Lorenz u. Co.
	Dienstag 25.5	Info.- Tech.	
	Mittwoch 26.5		Fa. Kleinbauer
	Donnerstag 27.5		
	Freitag 28.5		

Dialog 3

Petra Zimmermann hat einen neuen Vorschlag

 Lesen Sie diese Ausdrücke. Dann hören Sie der Kassette zu.

Darf ich Ihnen meinen Vorschlag unterbreiten?	*May I show you my suggestion?*
selbstverständlich	*of course*
unsere hiesige Kapazität	*our capacity here*
Deswegen bin ich bereit . . .	*For that reason I'm prepared . . .*
von nun an	*from now on*

Petra Zimmermann:	So, da bin ich wieder. Darf ich Ihnen meinen neuen Vorschlag unterbreiten?
Franz Fischer:	Selbstverständlich. Ich höre zu.
Petra Zimmermann:	Wichtig für uns ist, unsere hiesige Kapazität voll auszunutzen. Wir möchten nicht nur Ihre Septemberpräsentation sondern auch Ihre Übernachtungen im kommenden Jahr haben.
Franz Fischer:	Das sehe ich ein. Und . . .?
Petra Zimmermann:	Und deswegen bin ich bereit, den Preis für Weimar zu ändern, wenn wir etwas anderes mit Ihnen vereinbaren können. Und zwar, wenn wir Ihre Übernachtungen organisieren können.
Franz Fischer:	Was meinen Sie mit 'organisieren'?
Petra Zimmermann:	Ja, zum Beispiel, daß Sie von nun an Ihren Mitarbeitern sagen: 'wir haben ein Zimmer für Sie im Hotel Europa reserviert'.

Aufgaben

A Was verstehen Sie?

1 Was möchte Petra Zimmermann Franz Fischer unterbreiten?

2 Was ist für sie wichtig?

3 Was ist sie bereit, zu ändern?

4 Was ist die Bedingung für die Änderung?

 B Introducing your statements

Use the phrase indicated to introduce these statements and questions

z.B. Ich kann den Preis ändern *ich bin bereit*
      Ich bin bereit, den Preis zu ändern

1 Können Sie uns besuchen? *Haben Sie Zeit?*

2 Wollen wir den Prospekt durchlesen? *Ich schlage vor*

3 Ja, ich kann das Angebot überprüfen *Ich verspreche*

4 Sie müssen den Auftrag bestätigen *Vergessen Sie nicht*

5 Ich organisiere das Verkaufsprogramm *Ich helfe Ihnen*

6 Wollen Sie unser Produkt testen? *Wir laden Sie ein*

7 Sie müssen einen Termin finden *Darf ich Ihnen helfen?*

8 Wer möchte seinen Kommentar dazu zuerst geben? *Wer möchte beginnen?*

9 Ja, ich kann das neue System ausprobieren *Ich finde es interessant*

10 Sie dürfen hier im Zimmer rauchen *Es ist erlaubt*

C Wichtig für uns ist, . . .

1 Für Franz Fischer: was ist *sehr* wichtig für ihn?
                       was ist wichtig?
                       was ist *nicht unbedingt* wichtig?

	Priorität	Grund?
Konferenzraum	☐ sehr wichtig ☐ wichtig ☐ nicht unbedingt wichtig	Präsentation für 30 Personen
Preis	☐ sehr wichtig ☐ wichtig ☐ nicht unbedingt wichtig	reduziertes Budget
Hotel	☐ sehr wichtig ☐ wichtig ☐ nicht unbedingt wichtig	Unterbringung für Teilnehmer

2 Für Petra Zimmermann: was ist *sehr* wichtig für sie?
was ist wichtig?
was ist *nicht unbedingt* wichtig?

		Priorität	Grund?
Firma Continental	☐ ☐ ☐	sehr wichtig wichtig nicht unbedingt wichtig	ein neuer Kunde
Kapazität ausnutzen	☐ ☐ ☐	sehr wichtig wichtig nicht unbedingt wichtig	Finanzplan
Preis	☐ ☐ ☐	sehr wichtig wichtig nicht unbedingt wichtig	guter Kundendienst

Diskutieren Sie Ihre Liste mit einem Partner.
Sind Sie beide einer Meinung?

Dialog 4

Franz Fischer findet das Angebot gut. Er hat eine letzte Frage.

 Lesen Sie diese Ausdrücke. Dann hören Sie der Kassette zu.

im kommenden Jahr	*in the coming year*
voraussichtlich	*in all probability*
Deswegen schätzen wir seine Meinung	*That's why we value his opinion*
Sie können selber die Qualität beurteilen	*You can judge the quality yourself*
Können wir mit dem Firmenpreis rechnen?	*Can we count on the corporate rate?*

Franz Fischer:	Ich fasse also zusammen. Wir bekommen den größeren Konferenzraum Weimar zu dem gleichen Preis wie Berlin. Im kommenden Jahr bringen wir alle unsere Mitarbeiter bei Ihnen unter. Das heißt voraussichtlich drei mal fünfundzwanzig gleich fünfundsiebzig.
Petra Zimmermann:	Richtig – und zwar zum üblichen Firmenpreis.
Franz Fischer:	Gut. Vielen Dank. Dann habe ich nur noch eine letzte Frage – wir möchten das Produkt testen. Frau Knopf kennt Ihr Restaurant schon. Niemand von uns kennt das Hotel aus erster Hand. Nächste Woche kommt unser Herr Wald, Projektleiter für den Nordwesten. Ich schlage vor, daß wir ein Zimmer für ihn hier in Ihrem Hotel reservieren.
Petra Zimmermann:	Ich finde diese Idee gut.
Franz Fischer:	Herr Wald ist sehr oft unterwegs, deswegen schätzen wir seine Meinung sehr.
Petra Zimmermann:	Einverstanden. Wollen Sie vielleicht mit ihm in unserem Restaurant essen? Dann können Sie selber unsere Qualität beurteilen.
Franz Fischer:	Stimmt. Und der Preis? Können wir jetzt schon mit dem Firmenpreis rechnen?
Petra Zimmermann:	Herr Fischer! Man sieht, daß Sie nicht nur ein guter Verkaufsdirektor sind. Sie sind auch ein perfekter Einkaufsdirektor!

Aufgaben

A Was verstehen Sie?

1 Was möchte Herr Fischer sonst noch machen?

2 Wie möchte er das machen?

3 Warum ist Herr Wald die richtige Person dafür?

4 Was schlägt Frau Zimmermann auch vor?

B Giving reasons

Join the two sentences using *deswegen* or *weil* as indicated.

z.B. Wir schätzen seine Meinung – er ist oft unterwegs
Wir schätzen seine Meinung, *weil* er oft unterwegs ist
Er ist oft unterwegs, *deswegen* schätzen wir seine Meinung

1 Sie sind ein neuer Kunde – ich bin bereit, den Preis zu ändern   (*deswegen*)

2 Sie hat noch nicht bestätigt – wir können keine Entscheidung treffen   (*weil*)

3 Wir wollen unsere Kapazität erweitern – der neue
  Verkaufsleiter muß neue Kunden gewinnen   (*deswegen*)

4 Ich bin bis Donnerstag auf der Messe – ich kann erst am
  Freitag kommen   (*weil*)

5 Die lokale Firma bietet mehr an – wir haben diese Firma
  gewählt   (*deswegen*)

6 Wir haben keine Erfahrung mit dieser Firma – wir
  brauchen mehr Informationen   (*weil*)

7 Ich kann das nicht verstehen – ich frage noch
  einmal   (*deswegen*)

8 Der größere Raum ist zu teuer – ich nehme den kleineren
  Raum   (*weil*)

9 Wir haben schon alles verglichen – wir wissen schon,
  welches System wir wählen   (*deswegen*)

10 Wir kennen Sie noch nicht aus erster Hand – wir möchten
   das Produkt testen   (*weil*)

C   Zusammenfassung

Die Besprechung ist zu Ende. Herr Fischer ist wieder im Büro.
Er hinterläßt ein Schreiben für Frau Knopf.
Hier sind seine Notizen:

- Konf.-Raum W.
- Preis
- Mitarbeiter -
      Unterbringung
- Wald-Zimmer.

inental

Statt Begleitbrief
Covering note (Instead of letter)

Ort/Tag/Abt./Bearbeitung/Hausruf
place/date/dept/person/tel. ext.

Von:

An

Datum
Betr: Winterpräsentation

1.

2.

3.

gez. ....

                    Anlagen
30.00.02   Enclosures

Was schreibt er?

Frau Zimmermann hinterläßt ebenfalls ein Schreiben für Herrn
Breitner. Hier sind ihre Notizen:

*Konf. Raum W. - feste
Buchung
Wald - Zimmer
reservieren
Fisher / Wald -
Restaurant*

Hotel Europa
Datum

von   Betr.: Firma Continental

an

1.

2.

3.

Was schreibt sie?

D   Spielraum – ein Telefongespräch

Am Telefon sind:
- Paul Schmitthof, Firma König Papierwaren GmbH
und
- August Kleinbauer, Firma Kaltenbrunner GmbH.

Paul Schmitthof ist Verkaufsleiter bei Firma König
Papierwaren GmbH. Er möchte einen Auftrag von der Firma
Kaltenbrunner für Briefpapier, Umschläge, Visitenkarten und
dergleichen bekommen. Er hat ein Angebot unterbreitet.
August Kleinbauer möchte weitere Informationen über
dieses Angebot bekommen. Er ruft Herrn Schmitthof an, um
diese Informationen zu bekommen.

Spielen Sie die Rollen.

Sie sind August Kleinbauer

Sie melden sich.
Sie geben den Grund für den Anruf.

Sie sind Paul Schmitthof
Sie melden sich.

Sie holen Ihre Kopie des Angebots.

Sie stellen eine Frage über den Preis für 1000 Stück Briefpapier.

Sie geben den Preis für 1000 Stück. Bei einem Auftrag von mehr als 5000 Stück gibt es einen Mengenrabatt von 2%.

Das ist interessant, aber Sie möchten Informationen über Lieferzeiten bekommen.

Sie geben Informationen über die normale Lieferzeit.

Haben Sie richtig verstanden? Sie wiederholen die Informationen über Preis, Mengenrabatt und Lieferzeit.

Sie bestätigen diese Informationen.

Sie haben eine letzte Frage über Skonto.

Was können Sie hier anbieten?

Sie bedanken sich für das Gespräch.

Sie bedanken sich auch.

Deutschland

Der Manager-Typ

Der typische deutsche Manager

- ist ein Mann
- hat einen Hochschulabschluß
- arbeitet fleißig und diszipliniert
- hat 39 Tage (einschließlich Feiertage) Urlaub im Jahr

- fährt mit dem Auto ins Büro
- wechselt seine Stelle nicht oft
- trägt einen dunklen Anzug für die Arbeit
- mietet seine Wohnung
- möchte ein Haus kaufen
- trinkt Bier
- hat einen hohen Lebenstandard.

Ungleiche Einkommen

Auf die Frage nach dem monatlichen Netto-Haushaltseinkommen nannten

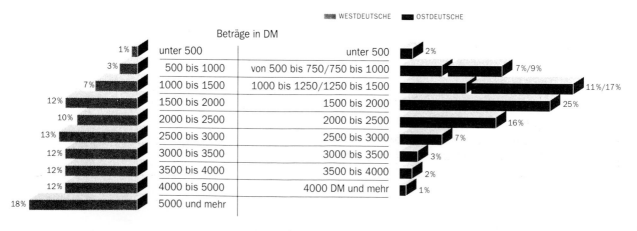

WESTDEUTSCHE OSTDEUTSCHE

Beträge in DM

	Westdeutsche	Ostdeutsche	
unter 500	1%	unter 500	2%
500 bis 1000	3%	von 500 bis 750/750 bis 1000	7%/9%
1000 bis 1500	7%	1000 bis 1250/1250 bis 1500	11%/17%
1500 bis 2000	12%	1500 bis 2000	25%
2000 bis 2500	10%	2000 bis 2500	16%
2500 bis 3000	13%	2500 bis 3000	7%
3000 bis 3500	12%	3000 bis 3500	3%
3500 bis 4000	12%	3500 bis 4000	2%
4000 bis 5000	12%	4000 DM und mehr	1%
5000 und mehr	18%		

Meetings

A meeting with a German business contact is likely to be a fairly formal affair and seldom conducted on a one-to-one basis. German business people like to be thorough and methodical. If they are interested in your proposal, they will want to examine it in detail, and from many angles, before they commit themselves. If they are not, they are unlikely to continue a discussion merely to be polite. Make sure you are punctual, expect to have to take your cue from your host and, above all, be well prepared for the meeting. Have your information to hand, supported by relevant documentation — preferably all *auf deutsch*.

Jetzt sprechen Sie

Sie können:

- *sum up*
  Ich fasse also zusammen

- *present a simple calculation*
  Drei mal fünfundzwanzig gleich fünfundsiebzig

- *explain why*
  . . . und deswegen schätzen wir seine Meinung

- *say what's important for you and your company*
  Wichtig für uns ist, unsere Kapazität auszunutzen

- *ask for clarification*
  Was meinen Sie mit 'organisieren'?

- *weigh up two elements*
  Nicht nur Ihre Septemberpräsentation, sondern auch Ihre Übernachtungen

- *explain a simple condition*
  Wenn wir etwas vereinbaren können

- *ask about future developments*
  Wie steht es mit der Zukunft?

- *talk about the average*
  Im Durchschnitt dreimal im Jahr

- *say what it's a question of*
  Es handelt sich um 25 führende Mitarbeiter

- *suggest taking a break*
  Machen wir eine kleine Pause

- *express a consequence*
  Aus diesem Grund haben wir Weimar vorgeschlagen

- *be more precise*
  und zwar ein finanzielles Problem

Ich wünsche Ihnen einen angenehmen Aufenthalt

In Stage 8, you will start to
- check into a hotel
- order a drink and a meal
- talk about yourself, your family and your interests
- find out more about other people

Michael Wald, Firma Continental's Project Manager for the North West area, arrives at Hotel Europa. He checks in, then goes to his room.

● ● ●

He has a pre-dinner drink with Franz Fischer in the bar before they go to dinner in the restaurant.

● ● ●

The hidden agenda in this meeting is to enable Messrs Wald and Fischer to check the quality of the hotel for themselves.

Vorbereitung

Fill in the wrapper as appropriate for each guest:

Michael Wald	Zimmer 305	18. Juni
Irene Schwarz	Zimmer 122	10. Januar
Dagmar Franke	Zimmer 471	15. November

Diese Informationen helfen Ihnen:

Durchschnittstemperaturen

	im norddeutschen Raum	*im süddeutschen Raum*
Januar	−1°C bis 2°C	0°C bis −3°C
Juli	16°C bis 19°C	17°C bis über 19°C

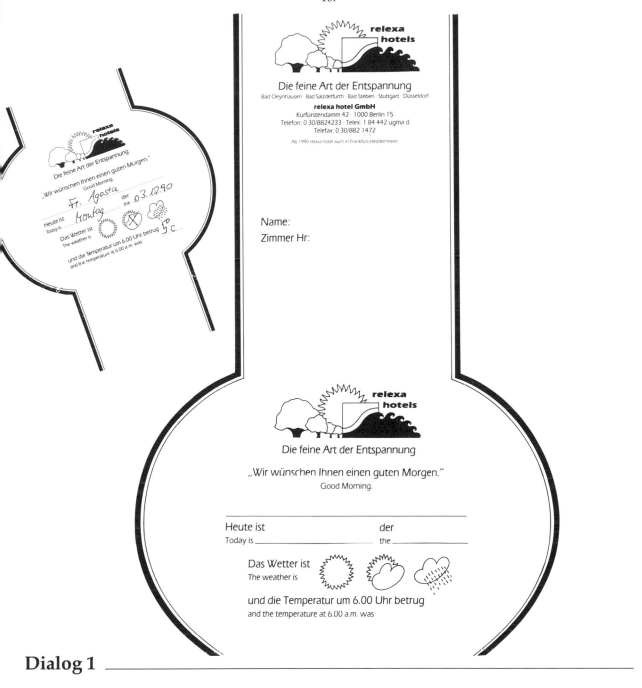

relexa hotels

Die feine Art der Entspannung

Bad Oeynhausen · Bad Salzdetfurth · Bad Steben · Stuttgart · Düsseldorf

relexa hotel GmbH

Kurfürstendamm 42 · 1000 Berlin 15

Telefon: 0 30/8824233 · Telex: 1 84 442 ugma d

Telefax: 0 30/882 1472

Ab 1990 relexa hotel auch in Frankfurt/Heddernheim

Name:

Zimmer Hr:

relexa hotels

Die feine Art der Entspannung

„Wir wünschen Ihnen einen guten Morgen."

Good Morning.

Heute ist _____ der _____

Today is _____ the _____

Das Wetter ist

The weather is

und die Temperatur um 6.00 Uhr betrug

and the temperature at 6.00 a.m. was

Dialog 1

Michael Wald, Projektleiter für den Nordwesten bei Firma
Continental, kommt im Hotel Europa an.

 Lesen Sie diese Ausdrücke. Dann hören Sie der Kassette zu.

Würden Sie sich eintragen	*Would you sign in*
Das Formular habe ich ausgefüllt	*I've filled in the form*
Ich wünsche Ihnen einen angenehmen Aufenthalt	*I wish you a pleasant stay*

Michael Wald:	Guten Abend. Mein Name ist Wald. Meine Firma hat ein Zimmer für mich reserviert.
Andreas Breitner:	Guten Abend Herr Wald. Einen kleinen Augenblick bitte. So, das war ein Einzelzimmer mit Bad und WC. Für eine Nacht, nicht wahr? Würden Sie sich freundlicherweise eintragen?
Michael Wald:	Gerne. Aber ich habe eine Frage. Wo kann ich hier parken? Mein Wagen steht vor dem Hoteleingang, und da ist Parkverbot.
Andreas Breitner:	Geben Sie mir Ihren Wagenschlüssel. Wir parken Ihren Wagen in der Hotelgarage für Sie.
Michael Wald:	Vielen Dank. So, das Formular habe ich ausgefüllt. Sonst noch etwas?
Andreas Breitner:	Nein, danke. Aber eine Unterschrift brauche ich noch von Ihnen. Danke. Sie haben Zimmer Nummer dreihundertfünf im dritten Stock. Hier ist Ihr Schlüssel. Der Aufzug ist gleich links um die Ecke. Ich wünsche Ihnen einen angenehmen Aufenthalt im Hotel Europa.

Aufgaben

A   Was verstehen Sie?

1 Wie lange bleibt Herr Wald?

2 Welches Problem hat Herr Wald?

3 Wie kann Andreas Breitner ihm helfen?

4 Wo ist das Zimmer von Herrn Wald?

B   Putting people into your language

To enable you to acquire a more personal style, put the correct personal form into these sentences:

z.B. Geben Sie (*ich*) Ihren Wagenschlüssel
Geben Sie mir Ihren Wagenschlüssel

1 Ich möchte (*Sie*) .... mehr dazu sagen

2 Darf ich (*Sie*) .... helfen?

3 Ich habe (*er*) .... vorgeschlagen, es nicht zu nehmen

4 Wie oft hat er (*wir*) .... das versprochen?

5 Wir müssen es (*sie* – she) .... überlassen

6 Warum hat man (*Sie*) .... nicht geglaubt?

7 Er hat es (*ich*) .... vorgelesen

8 Ich fürchte, daß ich es (*er*) .... nicht gegeben habe

9 Darf ich (*Sie*) .... etwas bringen?

10 Ich möchte (*sie* – they) .... alles so schnell wie möglich bestätigen

 C **Ein Zimmer reservieren**

Sie sind die Sekretärin von Herrn Dr Berger, Firma Continental. Sie reservieren für ihn und seine Frau ein Zimmer im Hotel.
Rufen Sie bitte das Hotel an, um das Zimmer zu reservieren. Hier sind die Informationen, die Sie für das Telefongespräch brauchen:

- ein Doppelzimmer mit Dusche und WC
- zwei Nächte
- 16. und 17. April
- auf Kosten von Firma Continental,

Sie möchten auch die Telefaxnummer vom Hotel haben.

Dialog 2

Michael Wald packt seine Sachen aus und hört gleichzeitig der Wettervorhersage zu.

 Lesen Sie diese Ausdrücke. Dann hören Sie der Kassette zu.

Breitner am Apparat	*Breitner here*
Ich hoffe, Sie sind mit Ihrem Zimmer zufrieden	*I hope you're satisfied with your room*
Bitte melden Sie sich	*Please get in touch*

Fernsehen: Und jetzt die Wettervorhersage für morgen den achtzehnten. In ganz Deutschland herrscht weiterhin sonniges Wetter. Tageshöchsttemperaturen zwischen zweiundzwanzig und sechsundzwanzig Grad.

(das Telefon klingelt)

Michael Wald:	Wald.
Andreas Breitner:	Herr Wald, hier ist der Empfang. Breitner am Apparat. Ich hoffe, Sie sind mit Ihrem Zimmer zufrieden.
Michael Wald:	Ja, danke. Alles ist in bester Ordnung.
Andreas Breitner:	Das freut mich. Haben Sie alles, was Sie brauchen? Wenn nicht, bitte melden Sie sich.
Michael Wald:	Danke schön. Ich erwarte meinen Kollegen Herrn Fischer. Wenn er kommt, sagen Sie ihm bitte, daß ich in der Bar bin.
Andreas Breitner:	Selbstverständlich. Ist das alles, Herr Wald?
Michael Wald:	Ja, danke. Auf Wiederhören.

Aufgaben

A   Was verstehen Sie?

   1 Wo ist Herr Wald?

   2 Wie ist das Wetter für morgen?

   3 Was möchte Herr Breitner wissen?

   4 Wohin geht Herr Wald jetzt?

B   Using reflexive verbs

A number of verbs in German are reflexive verbs. Get used to using them. As a way of practising them, complete this short introductory speech.

z.B. Wenn Sie ein Problem haben, bitte melden Sie ....
Wenn Sie ein Problem haben, bitte melden Sie sich

'Guten Morgen, meine Damen und Herren. Herzlich willkommen in unserem Hause. Ich möchte .... vorstellen. Ich bin Andreas Breitner, Empfangsleiter im Hotel Europa. Ich freue ...., Sie heute im Namen vom Hotel Europa begrüßen zu dürfen. Bitte, setzen Sie .... Wir möchten, daß Sie .... hier wie zu Hause fühlen. Meine Chefin entschuldigt ...., daß sie erst heute nachmittag kommen kann. Wenn Sie ein Problem haben, bitte melden Sie .... Meine Mitarbeiter und ich freuen ...., Ihnen helfen zu können.'

C **Richtig oder falsch?**

Lesen Sie dieses Informationsblatt:

HOTEL-INFORMATION

ABREISE/CHECK-OUT

Da Ihr Zimmer am Abreisetag für den nächsten Gast vorbereitet werden muß, bitten wir um Freigabe des Zimmers bis 12.00 Uhr.

BANK

Wenn Sie Devisen einwechseln möchten oder Schecks einlösen wollen, so steht Ihnen dafür unsere Hotelkasse zur Verfügung. Telefon: 174

BAR

Die im englischen Stil eingerichtete Hotelbar 'Pub' lädt Sie täglich ab 12.00 Uhr zum Verweilen ein. Sie finden den 'Pub' im Erdgeschoß unseres unteren Hauses.

BESCHWERDEN

Wir nehmen Beschwerden sehr ernst und kümmern uns sofort persönlich darum. Wenden Sie sich bitte an die Rezeption. Telefon: 174

ELEKTRISCHE ANSCHLÜSSE

Unsere Normalspannung ist 220 Volt Wechselstrom. Wenn Sie einen Adapter benötigen, so wenden Sie sich bitte an die Rezeption. Telefon: 174

FERNGESPRÄCHE

Ihre Gespräche können Sie direkt von Ihrem Apparat aus wählen. Sie brauchen lediglich den Knopf zu drücken, um eine freie Leitung zu bekommen. Pro Einheit berechnen wir DM 0,60. Telefon: 174

FOTOKOPIEN

Fotokopien von Schriftstücken und Arbeitsunterlagen erledigt für Sie unsere Rezeption. Telefon: 174

SONNENTERRASSE

Im ersten Stock befindet sich unsere Sonnenterrasse mit einem wunderschönen Panoramablick.

TAGUNGS- UND KONFERENZRÄUME

Im Erdgeschoß des unteren Hauses befinden sich unsere Tagungsräume 'Berlin 1 bis 4', 'Hildesheim' und 'Bad Salzdetfurth'.
Im Obergeschoß des oberen Hauses finden Sie die Tagungsräume 'Berlin 5 bis 7' sowie unsere kleineren Sitzungszimmer 'Bad Steben' und 'Düsseldorf'

TELEFAX

Telefax hält unsere Rezeption für Sie bereit. Telefon: 174

Sind die folgende Informationen richtig oder falsch?

Abreise	Freigabe des Zimmers bis 11 Uhr
Bank	Hotelkasse steht zur Verfügung
Bar	im ersten Stock
Beschwerden	Rezeption. Telefon: 147
Elektrische Anschlüsse	Adapter an der Rezeption erhältlich
Ferngespräche	DM 0,70 pro Einheit
Fotokopien	leider nicht möglich
Sonnenterrasse	im Erdgeschoß
Tagungsräume	im Erdgeschoß des unteren Hauses und im Obergeschoß des oberen Hauses
Telefax	im Business-Center

Dialog 3

Michael Wald und Franz Fischer bestellen Getränke in der Bar.

Lesen Sie diese Ausdrücke. Dann hören Sie der Kassette zu.

Was trinken Sie?	*What would you like to drink?*
Ich bin seit gestern hier	*I've been here since yesterday*
Kommen Sie aus dieser Gegend?	*Are you from this part of the world?*

Franz Fischer: Was trinken Sie, Herr Wald? Ein Bier?

Michael Wald: Ich hätte gern ein Pils. Heute habe ich großen Durst. Wissen Sie, ich habe zu lange im Auto gesessen.

Franz Fischer:	Herr Ober, zwei Pils bitte! Na, wie war Ihre Fahrt hierher?
Michael Wald:	Etwas langsam, aber eigentlich ohne Problem. Ich bin aber seit vorgestern hier. Meine Eltern wohnen in der Nähe. Meine Mutter hat gestern Geburtstag gehabt, und ich habe sie besucht.
Franz Fischer:	Ach so. Kommen Sie also aus dieser Gegend?
Michael Wald:	Ja, aber ich wohne seit mehr als neun Jahren in Hamburg. Meine Frau ist von dort, und unsere Kinder sind in Hamburg groß geworden.
Franz Fischer:	Wie alt sind Ihre Kinder?
Michael Wald:	Mein Sohn ist acht Jahre alt, meine Tochter wird bald sechs. Und Sie, Herr Fischer. Haben Sie Familie?

Aufgaben

A   Was verstehen Sie?

1 Warum hat Herr Wald großen Durst?

2 Seit wann ist Herr Wald da?

3 Was hat er gestern gemacht?

4 Seit wann wohnt Herr Wald in Hamburg?

5 Wie alt sind seine Kinder?

B   Creating rapport

Prepare for positive small-talk by providing prompts to the answers given:

z.B. Etwas langsam – aber eigentlich ohne Problem
      Wie war Ihre Fahrt hierher?

1 Unsere Firma ist hundertzwanzig Jahre alt

2 Ich arbeite seit mehr als neun Jahren als Vetreter

3 Nein, ich komme aus Frankfurt

4 Die Reise war gut

5 Ich bin seit Sonntag hier

6 Ich hätte gern ein Pils, bitte

7 Ja, alles ist in bester Ordnung

8 Ja, ich habe mich schon eingetragen

9 Nein, meine Eltern wohnen weit von hier

10 Mein Vater hat im September Geburtstag

C   Persönliche Angaben

Name	Franz Fischer	Renate Knopf	Andreas Breitner
Alter	38	42	29
Geburtsort	Köln	Berlin	Wiesbaden
Familienstand	verheiratet	geschieden	ledig
Kinder	1 Sohn (8 Jahre)	1 Sohn (19 Jahre)	keine
	1 Tochter (5 Jahre)		
Beruf	Diplom-Kaufmann	Büroangestellte	Empfangsleiter
Freizeitinteressen	Tennis	Reisen	Fußball
	Kino	Lesen	Musik

1 Geben Sie Ihre persönlichen Angaben nach diesem Muster

zum Beispiel: Mein Name ist . . .
Ich komme aus . . .
Ich bin . . . Jahre alt
und so weiter

2 Stellen Sie Fragen an einen Partner/eine Partnerin, um ihn/sie besser kennenzulernen.

Dialog 4

Michael Wald und Franz Fischer essen zu Abend im Hotel Europa.

Lesen Sie diese Ausdrücke. Dann hören Sie der Kassette zu.

Alles ist zu empfehlen	*I can recommend everything*
Ich habe zu Mittag gegessen	*I ate at lunchtime*
Treiben Sie viel Sport?	*Do you go in for a lot of sport?*
Tennis spiele ich nicht so gern	*I don't like playing tennis very much*
Ich bin begeistert	*I'm over the moon*

Franz Fischer:	Das Restaurant ist sehr bekannt hier in der Stadt. Alles ist zu empfehlen. Haben Sie großen Hunger?
Michael Wald:	Eigentlich nicht. Ich habe heute warm zu Mittag gegessen. Ich nehme den Salatteller.
Franz Fischer:	Keine Vorspeise? Eine Suppe vielleicht? Nein? Dann, Herr Ober, einmal den Salatteller, einmal das Jägerschnitzel, bitte. Wir nehmen den Frankenwein dazu. So, Herr Wald, welchen Eindruck haben Sie? Ist dieses Hotel für unsere Präsentation richtig?
Michael Wald:	Als Konferenzhotel ist es genau richtig. Es ist komfortabel, modern, gut eingerichtet. Sehr gut finde ich die Sportmöglichkeiten. Es war allerdings nicht leicht zu finden.
Franz Fischer:	Hmm. Interessant. Treiben Sie viel Sport?
Michael Wald:	Nicht viel, aber ich versuche, fit zu bleiben. Wissen Sie, ich verbringe sehr viel Zeit im Auto. Und Sie? Tun Sie etwas für Ihre Gesundheit?
Franz Fischer:	Oh ja, ich gehe jede Woche dreimal schwimmen, und im Sommer spiele ich am liebsten Tennis.
Michael Wald:	Tennis spiele ich nicht so gern. Aber seit einem halben Jahr spiele ich Golf. Es gefällt mir sehr. Ich bin begeistert!

Aufgaben

A Was verstehen Sie?

1 Warum hat Herr Wald keinen großen Hunger?

2 Wie findet er das Hotel?

3 Ist alles in Ordnung?

4 Was macht Herr Fischer, um fit zu bleiben?

B Emphasising

By putting your key phrase at the beginning of your statement you show clearly what you want to emphasise. Practise this by rewording the following statements to begin with the phrases underlined.

z.B. Ich spiele gern *Golf*
         Golf spiele ich gern

1 Ich trinke gern *Rotwein*

2 Dieses Hotel gefällt *mir* gut

3 Das neue Material gefällt *ihm* nicht

4 Wir werden ihnen gern *damit* helfen

5 Wir würden gern *Ihre Firma* besichtigen

6 Meine Kollegen von der technischen Abteilung sehen *so etwas* gern

7 Meine Kollegin beantwortet gern *Ihre weiteren Fragen*

8 Alles klar? Nein? Ich wiederhole gern *die wichtigsten Punkte*

9 Ich möchte *am liebsten* etwas warten

10 Wir bringen *unsere Leute* am liebsten im gleichen Hotel unter

C   Rollenspiel – Abreise

relexa hotels

MINIBAR
Konsumationszettel

Consumption Form   Fiche de Consumation

Stock Bestand	Products – Produkte	cl	Consumption Verbrauch	Rate Preis	Total
2	Gerolsteiner Mineralwasser	25		3,50	
2	Staatlich Fachingen	25		3,50	
2	Coca Cola	20		3,50	
1	Granini Orangensaft	20		4,00	
1	Granini Apfelsaft	20		3,50	
1	Schweppes Ginger Ale	20		4,00	
1	Schweppes Tonic Water	20		4,00	
1	Schweppes Bitter Lemon	20		4,00	
2	Herrenhäuser Pilsener	25		4,00	
2	Krombacher Pils	33		4,50	
2	Weißer Rum	5		8,50	
2	Gin	5		8,50	
2	Vodka	5		8,50	
2	Jack Daniel's	5		12,50	
2	Whisky	5		14,50	
2	Cognac	3		11,50	
2	Brandy	3		6,00	
2	Southern Comfort	5		11,50	
2	Fernet Branca	2		4,50	
2	Underberg	2		4,50	
1	Relexa Sondercuvée Piccolo	20		8,50	
2	Weißwein, trocken	25		8,50	
1	Rotwein, trocken	25		7,50	
1	Champagner Laurent Perrier	375		49,00	
1	Toblerone	100 g		2,80	
2	Salzsticks	43 g		1,50	
2	Goldkerne	50 g		2,00	
1	Energie-Vitamin-Riegel	30 g		3,80	
1	Mineral-Drink Johannisbeere	20		3,50	
1	Mineral-Drink Apfel/Birne	20		3,50	

Name: Room No.:   Total:

Datum – Date: Signature – Unterschrift:

Le jour de votre départ veulliez remettre la Fiche de Consomation doment rernplie à la caisse de l'hotel	Reichen Sie bitte den ausgefüllten Konsumationszettel bei Ihrer Abreise an der Kasse ein	Please hand this form duly filled in at the cashiers by departure

Sie sind der Gast	**Sie sind Empfangsdame**
Sie reisen ab. Sie möchten Ihre Rechnung.	
	Sie holen die Rechnung. Hat der Gast Getränke von der Minibar gehabt?
Sie geben Ihren Minibarzettel ab.	
	Sie rechnen das aus. Sie geben dem Gast seine Rechnung.
Sie möchten per Kreditkarte bezahlen.	
	Sie nehmen nur American Express oder Visa.
Sie geben Ihre Kreditkarte. Sie brauchen auch ein Taxi.	
	Sie bitten um eine Unterschrift. Sie bestellen ein Taxi.

D Ein Mittagessen planen

1 Studieren Sie diese Speisekarten.

BÜFFET

Räucherfischplatte
...
Geflügelpastete
Tranchen von der Putenbrust mit Backpflaumen
Schinkenbrett mit verschiedenen Schinkenspezialitäten
...
Gulaschsuppe
Hühnchen in Rotweinsauce
...
Vier verschiedene Gemüsesalate
zwei Blattsalate
...
Apfelstrudel mit Vanillesauce
Rote Grütze mit Sahne

DM 32,50 pro Person
ab 20 Personen

Menü 1

Broccolirahmsuppe mit Mandeln

• • •

Gefülltes Kalbsschnitzel Cordon Bleu
Zitronenjus
frisches Saisongemüse
Butterkartoffeln

• • •

Weinschaumcrème
mit Rumrosinen

DM 39,50

Menü 2

Tomatenrahmsuppe
mit Wodkasahne

• • •

Rinderfilet 'Stephanie'
in Blätterteig mit Pilzduxelles
Bohnenbündchen
Kräuterkartoffeln

• • •

Grand Marnier Eisauflauf

DM 47,50

Menü 3

Kalbsbrühe
mit Pistazienklößchen

• • •

Piccata von der Truthahnbrust
auf Vollkornnudeln
Tomatensauce
Zuckererbsen

• • •

Schokoladencrème

DM 31,50

FEINSCHMECKER BUFFET

Räucherfischvariationen
von Makrele, Forelle und Schillerlocke

• • •

Schweinemedaillons, Roastbeef und Schweinerücken garniert
Pute garniert

• • •

Bouillon vom Huhn
Schweinebraten in der Kruste
Rindfleisch mit Meerrettichsauce
Schweizer Sahnegeschnetzeltes
Gebrühte Kartoffeln
Nudeln
Gemüse der Saison

• • •

Geflügelsalat
Rindfleischsalat
Eiersalat
Fischsalat
Frische Salate

• • •

Käseauswahl
Obstsalat
Eisplatte

• • •

Brotauswahl und Butter

– ab 20 Personen
pro Person DM 33,50 –

Menü 4

Melonenschiffchen
mit Räucherschinken

• • •

Tomatenrahmsuppe
mit Wodkasahne

• • •

Medaillons vom Schweinefilet
in Champignonrahm
frisches Saisongemüse
hausgemachte Spätzle

• • •

Caramelcrème

DM 52,–

Menü 5

Lauwarmer Fischsalat
im Salatbett

• • •

Consommé mit Pistazienklößchen

• • •

Lammrückenfilets provenzalisch
Ratatouille
Macairekartoffeln

• • •

Birnenstrudel
mit Vanillesauce

DM 55,50

2 Ihr Chef hat Geburtstag. Er will alle Kollegen zum Mittagessen einladen. Er hat Sie gebeten, dieses Essen zu organisieren. Vom Restaurant haben Sie diese Mustermenüs. Wählen Sie die beste Kombination für Ihre Zwecke aus. Berücksichtigen Sie folgendes:

- Sie bestellen für insgesamt 20 Personen
- der Chef ißt Fisch sehr gern
- Herr Dr Schreiber ißt kein Geflügel
- viele Kollegen achten auf die schlanke Linie
- die englische Praktikantin ißt nur vegetarisch

3 Faxen Sie die Bestellung an das Restaurant.

(Ihre   Firma)

(Ihre Faxnummer)

TELEFAX

  An das Restaurant „Zum alten Markt"
  Faxnummer: 0911 7747

Nachricht:

(Bestellen Sie das Essen. Vergessen Sie nicht, auch das Datum und die Uhrzeit für das Essen zu geben)

Unterschrift:

Telefonnummer

• •

Deutschland

Die wichtigsten Verkehrsverbindungen _____

Die Deutsche Bundesbahn

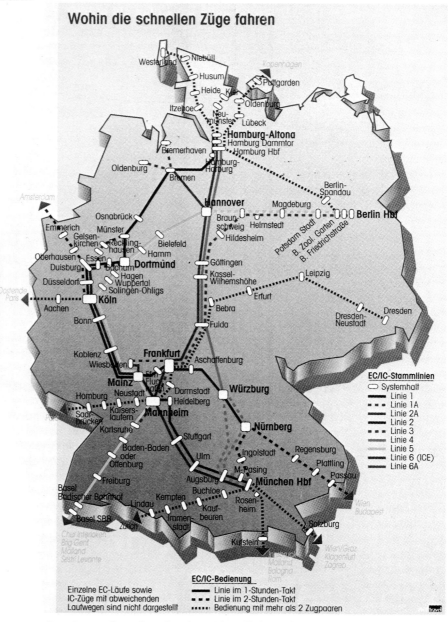

Wohin die schnellen Züge fahren

Der Inter-City-Service ist schnell, bequem und zuverlässig. Montags bis Freitags fahren die meisten Züge im 1-Stunden-Takt; d.h., sie fahren regelmäßig – und pünktlich – jede Stunde. Vergessen Sie nicht, vor Ihrer Reise einen Inter-City-Zuschlag zu kaufen.

Mehr Spaß an Auslandsspesen

| Land | Verpflegungskosten | | Übernachtung pauschal |
	pauschal	Höchstbetrag per Quittung	
Belgien	89	124	159
Dänemark	90	126	211
Finnland	126	176	246
Frankreich	90	126	135
Griechenland	68	95	138
Großbritannien	98	137	263
Hongkong	68	95	289
Italien	107	149	176
Japan	145	203	185
Kanada	85	119	192
Luxemburg	125	175	212
Niederlande	93	130	167
Norwegen	101	141	184
Österreich	69	96	148
Schweden	135	189	269
Schweiz	99	138	188
Spanien	88	123	204
Türkei	71	99	138
UdSSR	125	175	212
USA	94	131	251

Alle Angaben in Mark.
Ausgewählt wurden die wichtigsten Geschäftsreiseländer.

Profi travel

Business Entertaining _____

Business entertaining in Germany is, generally speaking, not lavish. Most entertaining is done over lunch. A business lunch may take place in a local restaurant or in the company canteen. Either way, it is unlikely to be a protracted affair. Some evening entertaining also takes place, most commonly in restaurants. If you are the host for dinner, remember that the German working day starts early and an invitation for 7.00pm rather than 8.00pm or later is likely to be appreciated.

German drink-driving laws are strictly enforced, and most Germans will not drink if they are going to drive.

It is unusual for a business contact to be invited to a German home for dinner, partly because the Germans normally eat a light cold supper in the evening. If you are invited to a German home, make sure you are on time, take some flowers for your hostess, don't be surprised if the invitation is for drinks only — and get your host to book a taxi to take you back to your hotel.

Jetzt sprechen Sie

▶ Sie können:

- *ask someone's impression*
  Welchen Eindruck haben Sie?
- *talk about your hobbies*
  Ich gehe jede Woche dreimal
  schwimmen
  Im Sommer spiele ich Tennis
  Ich spiele Golf

- *find out about a business colleague's family life*
  Kommen Sie aus dieser Gegend?
  Wie alt sind Ihre Kinder?
  Haben Sie Familie?

- *give basic details about your own family life*
  Ich wohne seit neun Jahren in . . .
  Meine Frau ist von . . .
  Unsere Kinder sind . . .
  Mein Sohn ist acht Jahre alt
  Meine Tocher wird bald sechs

- *offer a fall-back*
  Wenn nicht, bitte melden Sie sich

- *ask for a message to be passed on*
  Sagen Sie ihm bitte, daß ich in der Bar
  bin

- *check whether there's anything else*
  Ist das alles?

- *ask someone to wait*
  Einen kleinen Augenblick bitte

- *ask someone if they would do something*
  Würden Sie sich eintragen?

9

Der Finanzdirektor wird sich freuen

In Stage 9, you will start to

- present information in report form
- state your objectives
- describe your methods
- make comparisons and recommendations

Franz Fischer and Dr Stefan Berger, Managing Director at Continental, discuss arrangements for the autumn sales campaign. Franz Fischer explains the background and outlines Continental's requirements.

● ● ●

In a formal presentation, Franz Fischer compares the three hotels he and Renate Knopf have looked at. Dr Berger gives his reaction.

Vorbereitung

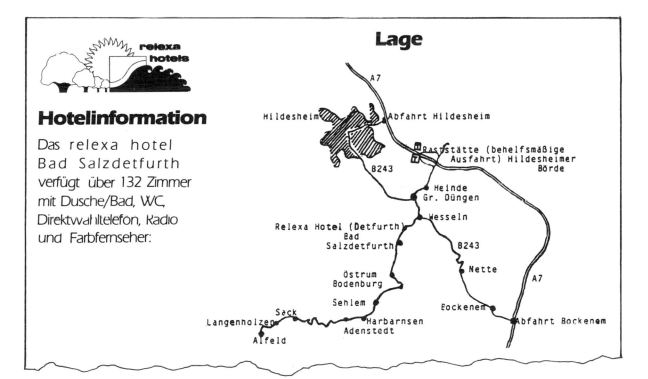

Hotelinformation

Das relexa hotel Bad Salzdetfurth verfügt über 132 Zimmer mit Dusche/Bad, WC, Direktwahltelefon, Radio und Farbfernseher:

Bad Salzdetfurth liegt 15 km südlich von Hildesheim in der wald-
reichen Landschaft des Vorharzes, nur wenige Autominuten von
der BAB 7 Hannover — Kassel entfernt. (Behelfsausfahrt Hildes-
heimer Börde)

Die wichtigsten Verbindungen

– zum IC Bahnhof Hannover	30 Minuten
– zum internationalen Flughafen Hannover-Langenhagen	40 Minuten
– zum Messegelände Hannover	20 Minuten
– zum Stadtzentrum Hildesheim	10 Minuten
– zur BAB 7 Hannover-Kassel	8 Minuten

Wo ist das Hotel?
Wie weit ist es
- zum IC-Bahnhof Hannover?
- zum Messegelände Hannover?
- zum Stadtzentrum Hildesheim?
- zur Autobahn?

Dialog 1

Franz Fischer und Dr Stefan Berger, sein Geschäftsführer,
diskutieren die Werbekampagne.

 Lesen Sie diese Ausdrücke. Dann hören Sie der Kassette zu.

Ich bin sehr zufrieden	*I'm very satisfied*
Wir haben vor, die Literatur zu übersetzen	*We intend to translate the literature*
Der Markt bietet interessante Möglichkeiten	*The market offers interesting possibilities*
Wir laden sie ein, zu uns zu kommen	*We're inviting them to come to us*

Dr Berger: Mit dem neuen Werbematerial und Ihrer Marketingstrategie bin ich sehr zufrieden.

Franz Fischer: Es freut mich, das zu hören. Wir haben vor, die Produktliteratur in Englisch und in Französisch zu übersetzen.

Dr Berger: Ja, der europäische Markt bietet interessante Möglichkeiten. Aber ich habe eine andere Frage. Wie stellen Sie den Vertretern unser neues Produkt vor?

Franz Fischer: Wir wollen im September für alle Vertreter eine Präsentation machen. Das heißt, wir laden sie alle ein, zu uns zu kommen, und wir informieren sie alle zur gleichen Zeit.

Dr Berger: Ja, das ist eine gute Methode. Aber ich sehe da ein Problem. Alle

Vertreter bei uns hier im Hause? Das geht nicht. Ist es nicht besser, die Präsentation in einem Hotel zu machen?

Franz Fischer: Genau meine Meinung! Frau Knopf und ich haben drei verschiedene Hotels besucht, und ich möchte Ihnen eins vorschlagen.

Dr Berger: Ich höre zu. Aber, Herr Fischer, bitte kein langes Referat!

Aufgaben

A Was verstehen Sie?

1 Was meint Dr Berger zur Marketingstrategie?

2 Welches Problem sieht er?

3 Welchen Vorschlag macht er?

4 Was möchte er nicht hören?

B Answering questions quickly

One way of saving time in a discussion is to refer to the subject in question without naming it again. Practise this by answering the following questions with *ja* or *nein* as indicated.

z.B. Haben Sie ein Hotel gefunden?
　　　Ja, ich habe eins gefunden
　　　or
　　　Nein, ich habe keins gefunden

1 Haben Sie schon einen Namen gewählt?

　　Ja, ...

2 Kennen Sie eine gute Firma dafür?

Nein, ...

3 Sehen Sie ein Problem darin?

Nein, ...

4 Hat sie eine Entscheidung getroffen?

Ja, ...

5 Waren Sie schon bei einem Vertreter?

Ja, ...

6 Haben Sie einen weiteren Wunsch?

Nein, ...

7 War er von einem Produkt besonders begeistert?

Ja, ...

8 Hat er andere Ideen gehabt?

Nein, ...

C   Ihre Präsentation: 1. Teil

Sie stellen Ihr Thema vor.
Über welche Aspekte wollen Sie sprechen?

Wählen Sie vier aus, und stellen Sie sie einem Partner nach
folgendem Muster vor:

die Produktliteratur	die Preiserhöhung
die Kapazität	der Finanzplan
der Marktanteil	das Sortiment
die Tochtergesellschaft in	der Jahresabschlußbericht
der Schweiz	das Werbematerial
die Marketingstrategie	

Erstens   möchte ich über . . . sprechen
Zweitens
Drittens
Und zum Schluß

zum Beispiel: Erstens möchte ich über die Produktliteratur
sprechen.
Zweitens möchte ich über das Werbematerial
sprechen.
Drittens möchte ich über den Finanzplan
sprechen.
Und zum Schluß möchte ich über die
Marketingstrategie sprechen.

Über welche Aspekte möchte Ihr Partner sprechen?

D   Wie reagieren diese Personen?

1 Besprechen Sie die Reaktion mit einem Partner.

zum Beispiel: Er ist mit der Marketingsstrategie sehr
zufrieden.
Mit dem Werbematerial sieht er ein
Problem.

2 Mit welchen Aspekten in Aufgabe C sind Sie zufrieden? Wo
sehen Sie ein Problem?

Dialog 2 _____

Franz Fischer beginnt seine Präsentation.

Lesen Sie diese Ausdrücke. Dann hören Sie der Kassette zu.

Es ist unser Ziel, die Vertreter zu informieren	*Our aim is to inform the representatives*
um dieses zu erreichen	*to achieve this*
Sie hat sich mit drei Hotels in Verbindung gesetzt	*She got in touch with three hotels*

Franz Fischer: Wir führen das neue Produkt im Oktober auf den Markt ein. Es ist unser Ziel, im September die Vertreter gründlich darüber zu informieren. Um dieses Ziel zu erreichen, planen wir eine Präsentation. Diese wird den ganzen Tag dauern, und alle Vertreter werden daran teilnehmen.

Um die Präsentation zu organisieren, brauchen wir einen Konferenzraum für etwa dreißig Personen. Der Raum hier im Hause ist ja zu klein. Also unsere erste Frage war: wo finden wir den richtigen Konferenzraum?

Eine andere Frage war: wo werden die Vetreter übernachten? Die meisten davon reisen am Abend vor der Präsentation an. Reservieren sie ihre Hotelzimmer selber? Oder ist es besser, sie alle im selben Hotel unterzubringen?

Frau Knopf hat sich mit drei Hotels in Verbindung gesetzt. Diese Hotels haben wir jetzt besucht. Für uns waren zwei Fragen besonders wichtig, nämlich ob das Hotel einen passenden Konferenzraum hat, und ob alle auswärtigen Vertreter dort übernachten können.

Aufgaben

A Was verstehen Sie?

1 Wie lange dauert die Präsentation?

2 Wer nimmt daran teil?

3 Welche sind die zwei Hauptprobleme?

B Indirect questions

When summing up, repeating or qualifying, you'll need to be able to handle these. Practise indirect questions by joining the following phrases to the sentences indicated.

z.B. Ich möchte fragen – hat das Hotel einen passenden Konferenzraum?
Ich möchte fragen, ob das Hotel einen passenden Konferenzraum hat?

1 Ich wollte hören – wie können wir Sie telefonisch erreichen?

2 Er mußte wissen – haben Sie einen Videorecorder im Büro?

3 Die Leute haben gefragt – was meinte der Kunde zum Preis?

4 Sie wußte nicht – ist er mit dem Termin einverstanden?

5 Sie fragen also – welche Möglichkeiten biete ich an?

6 Können Sie uns sagen – haben Sie Ihre Kapazität voll ausgenutzt?

7 Darf ich kurz fragen – aus welchem Grund wollen Sie so lange warten?

8 Würden Sie uns sagen – waren Sie mit dem Besuch zufrieden?

9 Mich interessiert – wie sieht er die Zukunft?

10 Ich muß sofort wissen – wann findet das Gespräch statt?

C   Ihre Präsentation: 2. Teil

Sie erklären Ihre Ziele und Ihre Methoden.

Produktliteratur	übersetzen
Kapazität	erweitern
Marktanteil	vergrößern
Tochtergesellschaft in der Schweiz	besuchen
Marketingstrategie	formulieren
Preiserhöhung	begründen
Finanzplan	überprüfen
Sortiment	präsentieren
Jahresabschlußbericht	schreiben
Werbematerial	durchlesen

Was ist Ihr Ziel? Was haben Sie vor?
Wählen Sie vier Ziele aus, und besprechen Sie diese Ziele mit einem Partner.

zum Beispiel: Unser Ziel ist, den Marktanteil zu vergrößern.
                 Wir haben es vor, die Kapazität zu erweitern.

Welche Ziele hat Ihr Partner?

D   Wie erreichen Sie Ihre Ziele?

Hier sind Ihre Hauptziele im kommenden Jahr. Suchen Sie die passende Methode, um diese Ziele zu erreichen.

Monat	Ziel	Methode
Februar	Regionalmanager treffen	Pressekonferenz halten
März	auf der Leipziger Messe ausstellen	Termine vereinbaren
Juni	die Produktivität im 1. Halbjahr feststellen	Konkurrenz studieren
Oktober	das neue Produkt auf den Markt einführen	rechtzeitig planen
Dezember	Marketingstrategie überprüfen	Verkaufsziffern analysieren

Erklären Sie einem Partner Ihre Ziele.

zum Beispiel: Im Februar habe ich es vor, die Regionalmanager zu treffen.
Um dieses Ziel zu erreichen, muß ich ....

Dialog 3

Franz Fischer vergleicht die drei Hotels.

 Lesen Sie diese Ausdrücke. Dann hören Sie der Kassette zu.

auswärts	*out of town*
Sie befinden sich in der Stadtmitte	*They're in the middle of town*
älter als die anderen	*older than the others*
leider auch das teuerste	*unfortunately the most expensive as well*
besser geeignet	*more suited*

Franz Fischer: Die drei Hotels sind: das Parkhotel, das Hotel Europa, und der Steinberger Hof. Das Parkhotel liegt auswärts, die anderen befinden sich in der Stadtmitte. Das bedeutet, daß das Parkhotel ruhiger ist. Aber die anderen Hotels haben eine zentrale Lage. Das ist für uns vielleicht besser.

Alle drei Hotels haben gute Konferenzräume. Der Konferenzraum im Steinberger Hof ist der größte. Er hat Platz für fünfzig Personen. Aber dieses Hotel ist auch älter als die anderen. Die Konferenzräume in den anderen Hotels sind moderner. Meiner Meinung nach bietet das Hotel Europa den besten Konferenzraum an.

Für den Gast ist das Parkhotel sicherlich das schönste – und für uns leider auch das teuerste. Und, wie gesagt, dieses Hotel ist schwieriger zu erreichen als die anderen. Deswegen möchte ich dieses Hotel nicht vorschlagen.

Die Preise im Steinberger Hof sind auch nicht so hoch wie im Hotel Europa. Aber das ist auch ein beliebtes Touristenhotel. Als Konferenzhotel ist das Hotel Europa besser geeignet. Ich habe deshalb mit dem Hotel Europa verhandelt.

Aufgaben

A Was verstehen Sie?

1 Welche Informationen gibt Herr Fischer?

	Lage	Raumgröße	Preis	erreichbar
Hotel Europa				
Parkhotel				
Steinberger Hof				

2 Warum hat Herr Fischer Hotel Europa gewählt?

B Making comparisons

Look at the matrix. Fill in the missing words in the sentences below using the appropriate statement.

z.B. Der Steinberger Hof ist ruhig
Das Hotel Europa ist ruhiger
Das Parkhotel ist am ruhigsten ODER das ruhigste Hotel

Firma	Lieferung	Qualität	Preis
A	2 Wochen	*	100
B	3 Wochen	**	90
C	4 Wochen	***	120

Wie liefern sie?
Firma C liefert schnell

Im Vergleich zu Firma C
Firma B liefert ....

Im Vergleich zu den beiden
Firma A liefert ....
Firma A ist der .... Lieferant

Wie steht es mit der Qualität?
Die Qualität von Firma A ist gut
Die Qualität von Firma B ist ....
Die Qualität von Firma C ist ....
Firma C arbeitet ....

Wie steht es mit dem Preis?
Der Preis bei Firma B ist hoch
Der Preis bei Firma A ist ....
Der Preis bei Firma C ist ....

C   Ihre Präsentation: 3. Teil

1 Mein Vorschlag ist, . . .

Ihr Ziel ist, Vorschläge für die neue Werbekampagne zu machen. Um dieses Ziel zu erreichen, diskutieren Sie folgende Alternativen mit einem Partner. Wählen Sie eine aus, und geben Sie Ihren Grund dafür.

Diese Notizen helfen Ihnen.

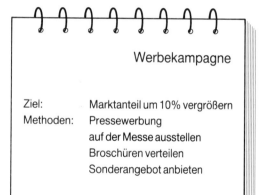

Werbekampagne

Ziel: Marktanteil um 10% vergrößern
Methoden: Pressewerbung
               auf der Messe ausstellen
               Broschüren verteilen
               Sonderangebot anbieten

Vorschlag:
Grund:

	effektiv	teuer	organisatorisch schwierig/leicht	arbeitsintensiv
Pressewerbung				
Messe				
Broschüren				
Sonderangebot				

2 Ist es nicht besser, . . . ?

Sie haben den Vorschlag gehört, aber Sie sind nicht überzeugt. Machen Sie einen anderen Vorschlag, und geben Sie Ihren Grund dafür.

zum Beispiel: Ist es nicht besser, Broschüren zu verteilen? Wir können viele Kunden erreichen.

Diskutieren Sie die verschiedenen Vorschläge in Ihrer Gruppe.

Dialog 4

Franz Fischer faßt zusammen. Dr Berger gibt seinen Kommentar dazu.

 Lesen Sie diese Ausdrücke. Dann hören Sie der Kassette zu.

Es bietet einen Sonderpreis	*It's offering a special price*
Ich bin sehr dafür	*I'm very much in favour of that*
Ich gratuliere	*Congratulations*
Alles spricht für das Hotel	*Everything argues for the hotel*

Franz Fischer: Ich fasse also kurz zusammen. Das Hotel Europa hat uns das preisgünstigste Angebot unterbreitet. Erstens: das Hotel will uns einen Sonderpreis für die Unterbringung anbieten. Das bedeutet, daß wir Geld sparen können.

Zweitens: wenn wir alle im gleichen Hotel übernachten, können wir mit der Präsentation früher anfangen.

Dr Berger: Ja, das sehe ich ein. Und die Vertreter haben auch eine bessere

Chance, sich gegenseitig kennenzulernen. Ich bin sehr dafür, daß wir als Team arbeiten.

Franz Fischer: Richtig. Drittens will das Hotel von nun an für unsere Mitarbeiter den Sonderpreis immer einräumen. Wir reservieren die Zimmer direkt, und das Hotel schickt die Rechnung direkt an uns.

Dr Berger: Das spart Zeit, Papierarbeit und Geld. Der Finanzdirektor wird sich freuen!

Franz Fischer: Genau meine Meinung. Viertens: wenn wir dieses Angebot annehmen, bekommen wir den größeren Konferenzraum zu einem Sonderpreis. Das heißt, der größere Raum ist bequemer für uns und für unsere Mitarbeiter.

Dr Berger: Ich gratuliere, Herr Fischer. Sie haben mich überzeugt. Alles spricht für das Hotel Europa.

Aufgaben

A   Was verstehen Sie?

1 Was bedeutet der Sonderpreis für Firma Continental?

2 Was bedeutet die Übernachtung im selben Hotel?

3 Was macht das Hotel mit der Rechnung?

B   Consequences and conditions

Join the two sentences to make a single statement which explains what happens if/when . . .

Bedingung	Resultat
z.B. Wir nehmen das Angebot an	Wir bekommen den größeren Konferenzraum

Wenn wir das Angbot annehmen, bekommen wir den größeren Konferenzraum

	Bedingung	Resultat
1	Der neue Kunde kommt zu uns	Wir sparen Zeit
2	Sie fahren zusammen	Sie können unterwegs diskutieren
3	Wir beginnen mit einer Präsentation	Wir können alle zur gleichen Zeit informieren
4	Sie warten zu lange	Sie verlieren eine ausgezeichnete Möglichkeit
5	Ich lerne andere Firmen kennen	Ich habe bessere Chancen
6	Wir setzen uns mit dem Verkehrsverein in Verbindung	Sie laden uns zum Empfang ein

7	Sie benutzen lokale Firmen	Sie können mit dem Chef persönlich sprechen
8	Sie nehmen unseren Vorschlag an	Wir beginnen schon nächste Woche
9	Das Gespräch dauert mehr als eine Stunde	Ich komme zu spät im Büro an
10	Sie geben uns Ihre Faxnummer	Sie bekommen die Unterlagen noch schneller

C   Ihre Präsentation: 4. Teil

Das bedeutet . . .
Sie fassen zusammen. Lesen Sie folgende Abschnitte, und
fassen Sie die Informationen zusammen.

Mit Wake-up-Videos versucht die Swissair das Erwachen ihrer Passagiere an Bord nach langen Nachtflügen angenehmer zu machen. Seit August 1990 werden alle Swissair-Fluggäste auf Mittel- und Langstreckenflügen mit einem elfminütigen Videofilm sanft geweckt. Leise Musik und Meeresbilder, die unterhalb und oberhalb der Wasserfläche aufgenommen wurden, sollen die Passagiere vor dem Frühstück behutsam aus dem Schlaf holen.	**Den besten Tee über den Wolken** gibt es bei der englischen Charterfluggesellschaft Dan Air London. Zu diesem Ergebnis kamen zehn Tee-Experten, die für ihre Untersuchung insgesamt 500 000 Kilometer in Flugzeugen von über 30 Luftverkehrsgesellschaften geflogen sind. British Airways und American Airlines belegten bei dem originellen Tee-Test die Plätze zwei und drei.

1 *Swissair*	2 *Tee-Untersuchung*
Ziel:	Ziel:
Methode:	Methode:
Vorteil für den Passagier:	Ergebnis:

<table>
<tr><td>

Buffet – statt Snack-Beutel: Auf den Flughäfen Hannover, Bremen, Hamburg, Münster, Köln/Bonn, Nürnberg und Frankfurt stellt die Lufthansa keine Snack-Plastiktüten für Kurzstreckenflüge mehr bereit. Statt dessen können sich die LH-Passagiere jetzt an einem Buffet mit Schinken- und Käsebrötchen, Obst, Joghurt, Kuchen und Schokolade selbst bedienen. Dazu gibt es Kaffee und Tee.

</td></tr>
</table>

D   Rollenspiel – Pressekonferenz

Die Rollen sind:

1 Presse-Sprecher(in) für Lufthansa. Sie haben Journalisten eingeladen, um über das neue Büffet zu informieren. Sie eröffnen und leiten das Gespräch. Sie beschreiben das bisherige System. Sie stellen Ihren Kollegen/Ihre Kollegin vor. Er/sie wird nähere Informationen über das Büffet geben.

2 Mitarbeiter(in) bei Lufthansa-Kundendienst. Sie beschreiben das Büffet (Schinken- und Käsebrote, Obst, Getränke und so weiter) und die Vorteile für den Passagier (z.B. größere Auswahl, keine Wartezeit im Flugzeug, u.s.w.). Für die Kollegen von der Presse steht ein ähnliches Büffet bereit; sie dürfen es selber probieren.

Beide Lufthansa-Mitarbeiter sind gerne bereit, Fragen zu beantworten.

3 Journalisten (beliebig viele).
Die Journalisten stellen Fragen zur Information (z.B. wann führt Lufthansa das Büffet ein?, wie steht es mit Auslandsflügen? u.s.w.), geben ihre Meinungen über das Büffet, machen aber auch eine Kritik. Hat der Fluggast wirklich den Vorteil, oder ist es nicht vielmehr eine Methode, Geld zu sparen?

• •

Deutschland

Die Messe ————————————————

Die Messe ist ein deutsches Konzept. Jedes Jahr finden in Deutschland hunderte von Messen statt. Einige sind weltbekannt, wie die Frankfurter Buchmesse, die Leipziger Frühjahrsmesse und die Nürnberger Spielwarenmesse. Für den Aussteller bedeutet die Messe eine wichtige Gelegenheit, den Markt und die Konkurrenz zu beobachten, Kontakte zu knüpfen und zu pflegen und neue Kunden zu gewinnen.

Zwölf Tips zur Planung und Organisation

1. Zielsetzung der Messe fixieren.
2. Messebudget kalkulieren.
3. Produkte zielgruppengerecht auswählen und plazieren.
4. Die Firma imagebewußt präsentieren.
5. Frage- und Antwortsystem für Interessenten entwickeln.
6. Print- und Werbematerial in ausreichender Zahl bereitstellen.
7. Produkt- und Show-Promotions sinnvoll planen und einsetzen.
8. Standpersonal für Vertrieb und Service auswählen.
9. Mitarbeiter in Bezug auf Produktwissen und Verkaufsargumentation schulen.
10. Messefibel mit Verhaltens-, Organisations- und Verkaufsargumentation erstellen.
11. Anfrageauswertung täglich vornehmen und verteilen.
12. Kleine Belohnungen zur Motivation des Personals in das Budget einplanen.

Dies sind einige der wichtigsten Faktoren für ein gelungenes Messekonzept.

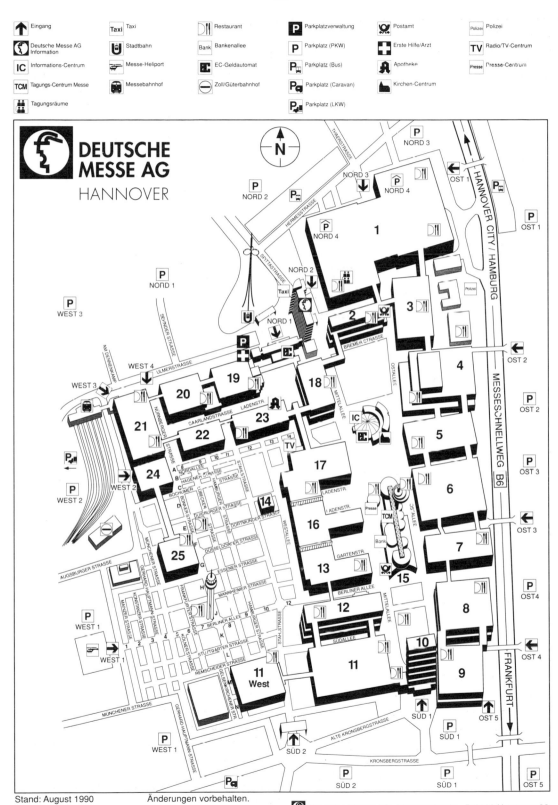

Bargeldlos bezahlen? – *Credit cards in Germany*

The Germans like to pay, and to be paid, in cash. Until very recently, credit cards were virtually unknown and certainly very difficult to use in payment for goods and services. German banks hoped that the Eurocheque system, widely used in Germany, would prove more attractive than credit cards outside Germany as well. There is traditional suspicion of non-cash forms of payment in many Germans' minds. Even cheques are still less widely used than they would be in Britain and most other European countries.

There are signs that this is changing. In 1990, the number of businesses prepared to accept credit cards rose by 60% and the number of credit cards issued to Germans by the end of 1990 had reached 5 million. This is still a relatively low figure by comparison with Britain where Visa and Access/Mastercard cards alone had reached 29 million by the end of 1989.

Jetzt sprechen Sie

Sie können:

- *introduce your summary*
  Ich fasse also kurz zusammen

- *state benefits, having stated features*
  Das bedeutet, . . .

- *justify your position*
  Deswegen möchte ich dieses Hotel nicht
  vorschlagen
  Ich habe deshalb mit Hotel Europa
  verhandelt

- *make comparisons*
  Das Parkhotel ist ruhiger
  Es ist älter als die anderen
  Die Preise sind nicht so hoch

- *express your intention*
  Wir haben es vor, die Literatur zu
  übersetzen

- *signal a problem*
  Ich sehe da ein Problem

- *suggest an improvement*
  Ist es nicht besser, sie in einem Hotel zu
  machen?

- *state your aim*
  Unser Ziel ist, die Vertreter zu
  informieren

- *say how you will achieve your aim*
  Um dieses Ziel zu erreichen, brauchen
  wir einen Konferenzraum

- *list your questions*
  Unsere erste Frage war: . . . ?
  Eine andere Frage war: . . . ?

- *question alternatives*
  Oder ist es besser, sie alle im Hotel
  unterzubringen?

10

Bis zum nächsten Treffen im Hotel Europa

> *In Stage 10, you will learn how to*
> - agree a timetable
> - specify payment details
> - bring a meeting to a close
> - compose a simple business letter

Petra Zimmermann, Renate Knopf, Andreas Breitner and Franz Fischer meet to settle the details of the deal and tie up responsibilities.

• • •

Finally, there's the question of the bill. Franz Fischer explains how the company would like to be invoiced for the operation.

• • •

The details settled, the meeting ends on a happy note.

Vorbereitung

Saalmieten

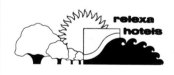

Raum	m²	ganzer Tag DM	halber Tag DM
Berlin 1 - 4 je	84	500,—	250,—
Kombination Berlin 1 - 4	336	2.000,—	1.000,—
Berlin 5 - 7 je	76	450,—	225,—
Kombination 5 - 7	209	1.200,—	600,—
Bad Salzdetfurth	39	250,—	125,—
Hildesheim	39	250,—	125,—
Bad Oeynhausen	24	200,—	100,—
Bad Steben	24	200,—	100,—
Kombination Bad Oeynhausen/ Bad Steben	48	400,—	200,—

Werden in Verbindung mit einer Veranstaltung Zimmer gebucht, so stehen dem Veranstalter pro Übernachtungsgast 4 m² geschlossene Raumfläche kostenlos zur Verfügung.

Ihre Firma bucht:

- Kombination Berlin 1 and 2 für einen ganzen Tag und einen halben Tag
- Übernachtung für 45 Personen

Was kostet die Saalmiete?

Dialog 1

Petra Zimmermann, Franz Fischer, Renate Knopf und Andreas Breitner klären die Details.

 Lesen Sie diese Ausdrücke. Dann hören Sie der Kassette zu.

Wie wird der Tag genau verlaufen?	*How will the day go exactly?*
Ihre Präsentation fängt um neun Uhr an	*Your presentation begins at nine o'clock*
Damit wir am Nachmittag weiter arbeiten können	*So that we can work on in the afternoon*
Damit die Leute rechtzeitig abfahren können	*So that the people can leave in good time*
Ihnen zur Verfügung stellen	*to place at your disposal*
Sie bedienen sich selber	*you help yourselves*

Petra Zimmermann:	Vielen Dank für Ihre Zusage. Wir freuen uns auf September und auf Ihre Präsentation.
Andreas Breitner:	Frau Knopf, wie wird der Tag genau verlaufen? Wissen Sie das schon?
Renate Knopf:	Oh, ja, Herr Breitner. Unsere Teilnehmer von auswärts werden am Abend vorher anreisen. Die meisten von ihnen werden bei

Ihnen im Restaurant essen. Die lokalen Teilnehmer werden am nächsten Tag gegen acht Uhr dreißig eintreffen, damit wir um neun Uhr beginnen können.

Petra Zimmermann: Werden diese Leute bei uns frühstücken?

Franz Fischer: Nein, das wird zu kompliziert sein. Aber eine Tasse Kaffee ist eine gute Idee.

Andreas Breitner: Ihre Präsentation fängt um neun Uhr an. Wann werden Sie eine Erfrischungspause einlegen? Ist zehn Uhr dreißig in Ordnung?

Renate Knopf: Jawohl. Dann werden wir um zwölf Uhr dreißig zu Tisch gehen. Wie gesagt, nicht zu schwer und ohne Alkohol, damit wir am Nachmittag weiterarbeiten können.

Franz Fischer: Wir werden den Abschluß für siebzehn Uhr ansagen, damit die Leute rechtzeitig abfahren können.

Andreas Breitner: Keine Kaffeepause am Nachmittag?

Franz Fischer: Am Nachmittag werden wir in kleinen Gruppen arbeiten. Ich persönlich möchte keine feste Kaffeepause haben.

Petra Zimmermann: Herr Breitner kann Ihnen Erfrischungen zur Verfügung stellen. Sie bedienen sich selber. Ist das in Ordnung?

Aufgaben

A   Was verstehen Sie?

   1 Wann kommen die Leute von auswärts an?

   2 Wann kommen die lokalen Teilnehmer an?

   3 Wann fängt die Präsentation an?

   4 Was geschieht um zwölf Uhr dreißig?

   5 Wann ist die Präsentation zu Ende?

   6 Wie steht es mit der Kaffeepause am Nachmittag?

B   Planning, using *werden*

   Replace the verb in italics with the appropriate form of *werden* and add the infinitive form to the end of the sentence.

   z.B. Das *ist* zu kompliziert
       Das *wird* zu kompliziert *sein*

   1 Ich *informiere* Sie sobald wie möglich

   2 Sie *ändert* den Preis für uns

   3 Wann *machen* Sie das?

   4 Am Montag *bin* ich in Frankfurt

   5 Vielleicht *kommt* er heute etwas später

6 Ich *schicke* Ihnen ein Fax, damit Sie alle Informationen vor Montag bekommen können

7 Meine Sekretärin *holt* Sie ab, damit Sie nicht zu lange warten müssen

8 Ich möchte wissen, wann Ihre Leute *frühstücken*

9 Darf ich fragen, wo die Geräte *stehen*?

10 Wissen Sie, wie das System *heißt*?

C   Herr Fischer ist auf Geschäftsreise

✈ Abflug/Departure   Ausland/ International

Abflug Hannover	Ankunft Zielort	Verkehrstage Tag 1 = Mo	Fluggesellschaft Flugnummer	Umsteige- ort
nach/to Manchester (MAN)				
06.30	09.35	1 2 3 4 5 – –	LH 1630/BA 4422	LHR
08.05	10.35	1 2 3 4 5 6 –	BA 975/BA 4432	LHR
10.15	13.05	1 2 – 4 5 – –	IIN 378/KL 155	AMS
12.45	14.10	1 2 3 4 5 6 7	BA 5607	–
14.25	15.50	1 2 3 4 5 – –	BA 5611	–
14.25	16.55	1 2 3 4 5 6 7	LH 093/LH 1662	FRA
18.15	21.35	– – – – – 6 –	BA 981/BA 4542	LHR

🛬 Ankunft/Arrival   Ausland/ International

Abflug Zielort	Ankunft Hannover	Verkehrstage Tag 1 = Mo	Fluggesellschaft Flugnummer	Umsteige- ort
von/from Manchester (MAN)				
09.05	13.50	1 2 3 4 5 – –	LH 1673/LH 088	FRA
09.20	13.50	– – – – – 6 –	LH 1613/LH 088	FRA
10.30	**13.45**	**1 2 3 4 5 – –**	**BA 5608**	–
13.35	19.25	1 2 – 4 5 – –	KL 156/HN 379	AMS
15.15	**18.30**	**– – – – – 6 –**	**BA 5610**	–
16.30	21.10	1 2 3 4 5 – 7	BA 4503/BA 978	LIIR
17.50	22.25	1 2 3 4 5 6 7	LH 1663/LH 098	FRA

Hier sind seine Notizen für morgen:

10.15   Abflug nach Manchester von Hannover (Flugnummer KL 155)

13.05   Ankunft in Manchester

15.00   Termin mit Herrn C. James.

Er hat Herrn James per Telefax gebeten, ihn vom Flughafen abzuholen.

Sie sind Herr Christopher James.
Morgen sind Sie bis 13 Uhr im Büro beschäftigt.
Rufen Sie Herrn Fischer an, und sagen Sie ihm folgendes:

- das Datum geht in Ordnung
- Sie können ihn um 13 Uhr 05 nicht abholen; Sie schlagen einen Taxi vor, wenn er bis 14 Uhr nicht warten will
- Sie schlagen einen Direktflug vor, z.B. . . . .

Dialog 2

Die Diskussion geht weiter.

 Lesen Sie diese Ausdrücke. Dann hören Sie der Kassette zu.

Ich darf vielleicht erwähnen	*I may perhaps mention*
Sie schließt um 9 Uhr 30	*It closes at 9.30*
Wir bereiten etwas vor	*We'll prepare something*

Renate Knopf: Haben Sie jetzt alle Informationen, die Sie von uns brauchen?

Petra Zimmermann: Für heute, ja. Aber einen Monat vor Ihrer Präsentation brauche ich bitte eine Liste mit Namen. Wer sind die Mitarbeiter, die bei uns im Hotel übernachten werden? Wir möchten wissen, für wen wir reservieren müssen.

Andreas Breitner: Werden Ihre Vertreter, die hier übernachten, gemeinsam zu Abend essen?

Franz Fischer: Eine nette Idee. Ich fürchte aber, daß es zu problematisch sein wird. Es gibt einige, die früher da sind, und andere, die erst später ankommen.

Andreas Breitner: Ich darf vielleicht erwähnen, daß unsere Küche um einundzwanzig Uhr dreißig schließt. Für die Leute, die später eintreffen, bereiten wir gern eine kalte Platte vor.

Aufgaben

A   Was verstehen Sie?

1 Was braucht Frau Zimmermann einen Monat vor den Präsentation?

2 Wie findet Franz Fischer die Idee, gemeinsam zu Abend zu essen?

3 Inwiefern ist die Situation zu kompliziert?

4 Wie steht es mit den Leuten, die spät ankommen?

30▷ **B** **Describing things at greater length**

Put the appropriate form of *der, die, das* into the appropriate place in these sentences.

z.B. Wer sind die Mitarbeiter, ... bei uns übernachten?
Wer sind die Mitarbeiter, *die* bei uns übernachten?

1 Ich meine den Auftrag, ... aus Deutschland kommt

2 Die Ausnahme, ... sie machen, hilft uns sehr

3 Wir müssen ein Angebot machen, ... sie ohne weiteres annehmen können

4 Die Bedingung, ... man von uns will, ist nicht akzeptabel

5 Der neue Mitarbeiter, ... wir suchen, muß gute Berufserfahrungen haben

6 Ich finde das Team, ... wir eingeladen haben, ausgezeichnet

7 Wie haben Sie die Diskussion gefunden, bei .... Sie gestern waren?

8 Die Leute, mit .... wir in Zukunft arbeiten werden, kommen aus allen Branchen

9 Ihr Produkt, von .... wir schon viel gehört haben, soll technisch hervorragend sein

10 Der nächste Punkt, zu .... wir jetzt kommen, wird schwierig sein

C Herr Fischer hat einen Brief an alle Vertreter geschrieben (siehe Seite 146):

Schreiben Sie Ihre Antwort an Frau Knopf.

Dieser Brief soll folgende Informationen enthalten:

● Sie möchten im Hotel Europa übernachten
● Sie kommen gegen 22 Uhr an

Sie sind Frau Knopf.
Beantworten Sie diesen Brief, wie folgt:

● Sie bestätigen die Zimmerreservierung
● Sie informicren über das Restaurant und die kalte Platte

Continental

Continental AG
Postfach 380
9870 Schönstätten 1

Mercatorstraße 38
9870 Schönstätten 1

Telefon: 0911/767-2891
Telefax: 0911/767-2889

Ihr Zeichen	Ihre Nachricht vom	Unser Zeichen FJF/Knopf	Datum 3. Juli 1992

Betr.: Produktpräsentation, 15. September, Hotel Europa

Sehr geehrter Herr ...

Die Firma Continental führt das neue Produkt im Oktober auf den Markt ein.
Um alle Vertreter gründlich darüber zu informieren, veranstalten wir am
15.9. eine Produktpräsentation im Konferenzraum Weimar, Hotel Europa. Die
Präsentation beginnt pünktlich um 9.00 und soll voraussichtlich um 17.00
Uhr zu Ende gehen

Brauchen Sie für den 14. September ein Zimmer im Hotel Europa? Lassen Sie
Frau Knopf bis zum 20. Juli bitte wissen, ob wir für Sie ein Zimmer reservieren
sollen. Aus organisatorischen Gründen möchte das Hotel wissen, um wieviel
Uhr Sie eintreffen werden.

Die Firma Continental übernimmt die Unterbringungskosten.

Mit freundlichen Grüßen

Ihr

Franz Fischer

Franz Fischer
Verkaufsleiter für Deutschland

Vorsitzender des Aufsichtsrats: Georg Erhard
Geschräftsführung: Dr Stefan Berger, Dr Rolf Falk
Sitz der Gesellschaft ist Schönstätten   Handelsregister Nr. B7492

Landesbank Schönstätten
(BLZ 203 918 33) 3461 290

Postgiro Schönstätten
(PLZ 250 300 40) 355 40-903

Dialog 3

Zuletzt, die Rechnung.

 Lesen Sie diese Ausdrücke. Dann hören Sie der Kassette zu.

An wen soll sie gehen?	*Who should it go to?*
zu meinen Händen	*for my attention*
aus hausinternen Gründen	*for internal reasons*
Der jeweilige Teilnehmer ist dafür zuständig	*The individual participant is responsible for it*
Gut, daß Sie mich daran erinnern	*A good thing you've reminded me*

Petra Zimmermann:	Eine letzte Frage von unserer Seite – die Rechnung. An wen soll sie gehen? Was soll darin stehen?
Franz Fischer:	Schicken Sie die Rechnung nach der Präsentation direkt an uns, und zwar zu meinen Händen. Aus hausinternen Gründen brauchen wir zwei Rechnungen. Die erste soll alle Kosten beinhalten, die mit der eigentlichen Präsentation zusammenhängen, das heißt Tagesgetränke, Mittagessen, Raum- und Videovermietung.
Andreas Breitner:	Wie ist es mit eventuellen Telefongesprächen?
Franz Fischer:	Dienstliche Gespräche, die die Teilnehmer führen, kommen auf die Rechnung. Für private Gespräche ist der jeweilige Teilnehmer zuständig.
Petra Zimmermann:	Sie haben von einer zweiten Rechnung gesprochen.
Franz Fischer:	Jawohl. Gut, daß Sie mich daran erinnern. Die zweite Rechnung soll alle Kosten beinhalten, die mit dem Abendessen und der Übernachtung zusammenhängen.
Petra Zimmermann:	Alle Kosten?
Franz Fischer:	Abgesehen von der Minibar, von privaten Telefongesprächen und eventuellen Videofilmen natürlich. Die einzelnen Mitarbeiter sind selber dafür zuständig.

Aufgaben

A Was verstehen Sie?

1 Warum braucht Franz Fischer zwei Rechnungen?

2 Was ist der Unterschied?

3 Für was ist jeder Teilnehmer zuständig?

B Referring without naming

Rephrase the following statements and questions using *dabei, dafür, damit, daran, darauf, darin, darüber, davon, dazu.*

z.B. Was soll in der Rechnung stehen?
     Was soll darin stehen?

1 Wir freuen uns auf ihren Besuch

2 Waren Sie bei der Präsentation?

3 Wer spricht über den Preis?

4 Sie haben gestern von Lieferungsproblemen gesprochen

5 Jeder Teilnehmer ist für seine Privatgespräche zuständig

6 Was steht auf der Tagesordnung?

7 Wie steht es mit eventuellen Verspätungen?

8 Was hängt mit der Arbeit zusammen?

9 Gut, daß Sie mich an die Rechnung erinnert haben

10 Wir kommen jetzt zum nächsten Punkt

C Banküberweisung

Die Firma Continental bezahlt die Rechnung vom Hotel Europa per Banküberweisung.
Welche Informationen fehlen? Füllen Sie die Banküberweisung mit einem Partner aus.

GUTSCHRIFT (Zahlschein-) Überweisung durch

(Name und Sitz des beauftragten Kreditinstituts)   (Bankleitzahl)

Empfänger

HOTEL EUROPA GmbH, Postfach 2012
Mozartstraße 45, 9870 SCHÖNSTÄTTEN

Bankleitzahl

507 516 88

Konto-Nr. des Empfängers ——— bei – oder ein anderes Konto des Empfängers —

200 04361   **Commerzbank Schönstätten**

DM

Verwendungszweck (nur für Empfänger)

Rechnungsnummer   2 2 4 3   00 /   3096   **✳ ✳ ✳ 3162,00**

Konto-Nr. des Auftraggebers ——— Auftraggeber/Einzahler —

Drescher

Mehrzweckfeld	X	Konto-Nr.	X	Betrag	X	Bankleitzahl	X	Text

5l⊣

Bitte dieses Feld nicht beschreiben und nicht bestempeln

Als Kunde der Deutschen Bank können Sie unsere ec-Geldautomaten täglich beliebig oft nutzen. Mit Ihrer ec-Karte erhalten Sie bis zu 1.000 DM pro Tag bzw. 3.000 DM pro Woche, mit Ihrer Kundenkarte bis zu 400 DM pro Tag bzw. 1.000 DM in 7 Tagen. An den Geräten anderer Institute können Sie mit Ihrer ec-Karte einmal am Tag Bargeld abheben – bis zu 400 DM. Über die verschiedenen Höchstbeträge im Ausland informiert Sie gern Ihr Kundenbetreuer.

Damit Ihnen unsere ec-Geldautomaten an möglichst vielen Orten zur Verfügung stehen, verdreifacht die Deutsche Bank die Zahl 1990 auf ein flächendeckendes Netz von 780 Geräten. Ein bundesweites Standortverzeichnis halten wir für Sie bereit.

Alles, was Sie brauchen: die ec Karte oder die neue Deutsche Bank-Kundenkarte – jeweils mit Ihrer persönlichen Geheimzahl.

Dialog 4

Franz Fischer and Renate Knopf verabschieden sich.

Lesen Sie diese Ausdrücke. Dann hören Sie der Kassette zu.

Es handelt sich um ein neues Produkt	*It's a question of a new product*
Sie leisten auch ihren Beitrag	*They're making their contribution too*
Nichts zu danken	*Don't mention it*
Ich darf mich verabschieden	*May I say goodbye*
Haben Sie nochmals vielen Dank	*Thank you once again*

Franz Fischer: Frau Zimmermann, ich glaube, das ist alles. Vielen Dank für Ihre freundliche Betreuung.

Petra Zimmermann: Gern geschehen, Herr Fischer. Wir freuen uns auf Ihren Besuch im September. Leiten Sie die Präsentation selber?

Franz Fischer: Ja, das mache ich – aber nicht allein. Es handelt sich um ein neues Produkt. Die Kollegen von der technischen Abteilung leisten auch ihren Beitrag. Ich bin da, um alles zu koordinieren.

Andreas Breitner: Frau Knopf, hier ist Ihr Mantel. Darf ich Ihnen helfen?

Renate Knopf: Vielen Dank, Herr Breitner. Und vielen Dank auch für Ihre Hilfe. Sie bekommen von mir die Teilnehmerliste und die anderen Informationen, die wir besprochen haben.

Andreas Breitner: Nichts zu danken, Frau Knopf. Ich habe Ihnen gern geholfen und freue mich auf die Informationen.

Franz Fischer: Frau Zimmermann. Ich darf mich jetzt von Ihnen verabschieden. Haben Sie nochmals vielen Dank. Auf Wiedersehen.

Petra Zimmermann: Herr Fischer, ich danke auch. Wir werden unser Bestes für Sie tun. Auf Wiedersehen, bis zum nächsten Treffen im Hotel Europa!

Aufgaben

A Was verstehen Sie?

1 Wer spricht auf der Präsentation?

2 Was bestätigt Frau Knopf?

B Public statements

Practise making longer sentences by putting the following items of information together as indicated:

Ziel	Methode
z.B. Ich will eine gute Koordinierung haben	die Präsentation persönlich leiten

Mein Ziel ist, *eine gute Koordinierung zu haben* – um dieses Ziel zu erreichen, *leite ich die Präsentation persönlich*

Ziel	Methode
1 Wir wollen die Vertreter gründlich informieren	eine große Präsentation machen
2 Die Firma muß einen neuen Vertreter für Deutschland finden	Vorstellungsgespräche halten
3 Ich will den deutschen Markt besser kennenlernen	so viele Messen wie möglich besuchen
4 Er muß drei neue Kunden pro Jahr gewinnen	sich mit Einkaufsdirektoren in Verbindung setzen
5 Sie wollen mit mehr Gewinn arbeiten	müssen ihre Kosten senken

C Meinen Dank aussprechen

1 Die Präsentation ist erfolgreich zu Ende. Die Vertreter wollen ihren Dank aussprechen, und zwar an

- Herrn Fischer für die Veranstaltung
- die Kollegen von der technischen Abteilung für die ausgezeichnete Präsentation
- Frau Knopf für die organisatorische Seite

Sie sprechen für die Vertreter. Machen Sie Notizen, dann sprechen Sie Ihren Dank aus.

2 Herr Fischer hat auch zu danken, und zwar

- den Vertretern für ihre freundliche Aufmerksamkeit
- den Kollegen für ihre technische Unterstützung
- Frau Knopf für eine reibungslose Organisation
- dem Personal im Hotel Europa für seine gastfreundliche Bedienung

Sie sind Herr Fischer. Machen Sie Notizen, dann sprechen Sie Ihren Dank aus.

Deutschland
Women and Business in Germany —

Warum mehr Frauen im Beruf?

Auf die Frage nach den Gründen, warum in Ost-Deutschland wesentlich mehr Frauen berufstätig sind als in West-Deutschland, antworteten von je 100 Frauen in Ost-Deutschland:

"Weil sie auch Geld verdienen müssen" 82%

"Weil sie selbständig sein wollen" 22%
"Weil sie mit anderen Menschen zusammenkommen wollen" 23%
"Weil sie Freude am Beruf haben" 24%

Mehrfachnennungen waren möglich.

Eva Rapaport

Prickelnder Erfolg: Eva Rapaport (27) ist seit dem Tod ihres Vaters vor drei Jahren Gesellschafterin der Nymphenburger Sektkellerei in München. Seit sie an der Spitze des Familienkonzerns steht, macht das Unternehmen zehn Prozent mehr Umsatz – 90 Millionen Mark waren es zuletzt.

Kinder, Küche, Kirche?

German women are generally not well represented in business life. In the former Federal Republic, 51% of women worked, but they accounted for fewer than 3% of all senior manager positions. In the former GDR, 91% of women worked, accounting for 49% of all jobs, but only 30% of managerial positions, senior or otherwise.

One way and another, traditionally in Germany, there is no corporate climate of women in leading business roles. This can certainly cause difficulties for the businesswoman visiting from abroad. In meetings, she runs the risk of not being taken seriously; outside them she may find that hotels and restaurants do not cater for her needs as well as in other European countries.

Working women in Germany have made some progress in publishing, public relations and politics, but have yet to make their mark in banking, business and industry. In the new Germany, the circumstances may be more favourable; women already establish 75% of all new businesses in former West Germany. In former East Germany unemployment is higher and wages are lower, but a total restructuring of the economy is underway. There are many opportunities for women as a result.

Jetzt sprechen Sie

Sie können:

- *draw a meeting to a close*
  Ich glaube, das ist alles

- *thank someone for their hospitality*
  Vielen Dank für Ihre freundliche
    Betreuung

- *say how pleased you were to have helped*
  Gern geschehen

- *express anticipation*
  Wir freuen uns auf Ihren Besuch

- *take your leave*
  Ich darf mich von Ihnen verabschieden

- *list exceptions*
  mit Ausnahme von der Minibar
  mit Ausnahme von privaten Gesprächen

- *allocate responsibility*
  Die einzelnen Teilnehmer sind dafür
    zuständig

- *say that you are looking forward to something*
  Wir freuen uns auf September

- *list a future sequence of events*
  Sie werden am Abend anreisen
  Sie werden gegen acht Uhr eintreffen

- *give reasons for your decision*
  Damit wir um neun Uhr beginnen
    können
  Damit wir am Nachmittag weiter-
    arbeiten können

Abschluß

Wir gratulieren! Sie haben *Hotel Europa Deutschland* erfolgreich abgeschlossen. Wir wünschen Ihnen viel Erfolg bei Ihrem nächsten deutschen Sprachkurs. Wir verabschieden uns von Ihnen jetzt mit diesem kurzen Spiel.

Welche Person hat welchen Satz geäußert? Und in welchem Abschnitt?

Key phrases

Numbers in brackets indicate the Stage in which the phrase first appears.

1 Socialising

Introductions

How to introduce oneself

Guten Morgen, mein Name ist Knopf, Firma
    Continental (1)
Hier ist meine Karte (2)

Good morning, my name is Knopf, from
    Continental
Here's my card

How to introduce someone else

Darf ich meinen Chef vorstellen (2)
Herr Fischer, das ist Herr Breitner (2)
Darf ich Frau Zimmermann, unsere
    Bankettleiterin, vorstellen (2)

May I introduce my boss
Herr Fischer, this is Herr Breitner
May I introduce Frau Zimmermann, our
    meetings services manager

How to respond

Es freut mich (2)
Es freut mich sehr (2)

Pleased to meet you
Very pleased to meet you

Courtesies and small talk

Initial contact

Was kann ich für Sie tun? (1)
Das freut mich (2)
Willkommen (2)
Ich hoffe, Sie haben ein gutes Wochenende
    verbracht (6)
Wie geht es Ihnen? (6)
Wie war Ihre Fahrt? (8)

What can I do for you?
I'm pleased
Welcome
I hope you had a good weekend

How are you?
How was your journey?

Courtesies and recommendations

Nach Ihnen (4)
Kommen Sie jederzeit wieder (4)
Haben Sie alles, was Sie brauchen? (8)
Ist das alles? (8)

After you
Come again anytime
Do you have everything you need?
Is that everything?

Ich hoffe, Sie sind mit Ihrem Zimmer zufrieden (8)	*I hope you are satisfied with your room*
Ist das in Ordnung? (10)	*Is that alright?*
Vielen Dank für Ihre freundliche Betreuung (10)	*Thank you for your hospitality*

Eating out

Wie trinken Sie Ihren Kaffee? (2)	*How do you like your coffee?*
Was trinken Sie? (8)	*What would you like to drink?*
Haben Sie großen Hunger? (8)	*Are you very hungry*
Eine Suppe vielleicht? (8)	*Soup?*
Wir nehmen den Frankenwein (8)	*We'll take the Franconian wine*

Talking about time

Haben Sie einen Moment Zeit? (1)	*Have you got a moment?*
Wann möchte Ihr Chef kommen? (1)	*When would your boss like to come?*
Nicht so schnell (2)	*Not so fast*
Ich komme gleich wieder (2)	*I'll be back in a minute*
Ich bringe ihn sofort (2)	*I'll get it straight away*
Herr Breitner kommt sofort (2)	*Herr Breitner's on his way*
Wie lange dauert die Besichtigung? (3)	*How long will the visit last?*
Ich habe sie vorhin gesehen (6)	*I saw her a moment ago*
Haben Sie am Donnerstag Zeit? (6)	*Have you got time on Thursday?*
Wie oft im Jahr? (7)	*How often every year?*
für eine Nacht (8)	*for one night*
Ist 10 Uhr 30 in Ordnung? (10)	*Is 10.30 alright?*
bis zum nächsten Treffen (10)	*until our next meeting*

Apologising

einen Moment (3)	*just a moment*
leider zu teuer (4)	*too expensive, unfortunately*
Entschuldigen Sie, bitte (6)	*Excuse me*

How to respond

Richtig (1)	*Right*
Das ist kein Problem (1)	*That's no problem*
Ja, sicher (1)	*Certainly*
Natürlich (1)	*Of course*
Kein Problem (1)	*No problem*
In Ordnung (2)	*Alright*

Congratulating

ich gratuliere (9)	*Congratulations*
Sie sind ein perfekter Einkaufsdirektor (7)	*You're a perfect purchasing director*

2 Meetings

Procedure

Wir möchten zuerst unser Ziel erklären (3)	*We would like first of all to explain our objective*
Brauchen wir sonst noch etwas? (3)	*Do we need anything else?*
Diskutieren wir das später (4)	*Let's discuss that later*
Was steht heute auf der Tagesordnung? (6)	*What is on the agenda today?*
Ich schlage vor, daß wir damit beginnen (6)	*I suggest beginning with that*
Jetzt kommen wir zum nächsten Punkt auf unserer heutigen Tagesordnung (6)	*Now we come to the next item on today's agenda*

Eliciting information

Ist das alles? (2)	*Is that everything?*
Was für Geräte? (4)	*What kind of equipment?*
Wie steht es damit? (7)	*How is it with that?*
Wieviel im Durchschnitt? (7)	*How many on average?*
Haben Sie jetzt alle Informationen, die Sie von uns brauchen? (10)	*Have you now got all the information you need from us?*
Eine letzte Frage von unserer Seite (10)	*a last question from our side*
Das ist sehr wichtig für uns (4)	*That's very important for us*
Es handelt sich um 25 führende Mitarbeiter (7)	*It's a question of 25 senior managers*
Ich fasse kurz zusammen (9)	*I'll sum up briefly*
Gut, daß Sie mich daran erinnern (10)	*A good thing you've reminded me of that*
Ich glaube, das ist alles (10)	*I think that's everything*

Asking for opinions

Nicht wahr? (3)	*Isn't that so?*
Geht das? (3)	*Is that alright?*
Was meinen Sie? (3)	*What do you think?*
Ist es nicht besser . . . ? (9)	*Isn't it better to . . . ?*

Providing opinions

Meiner Meinung nach (3)	*In my opinion*
Ich finde, wir müssen . . . (5)	*I think we have to . . .*
Ich bin der Meinung, daß . . . (6)	*I'm of the opinion that . . .*
Ich finde diese Idee gut (7)	*I think that's a good idea*
Ich schlage vor, daß . . . (7)	*I suggest we . . .*
Genau mein Meinung (9)	*Exactly my opinion*
Ich fürchte aber, daß . . . (10)	*I'm afraid, however, that . . .*
Ich darf vielleicht erwähnen, daß . . . (10)	*May I perhaps mention that . . .*

3 Presentations

General

Es ist unser Ziel, . . . (9)	*It's our aim to . . .*
Um dieses Ziel zu erreichen, . . . (9)	*In order to achieve this aim, . . .*

Für uns sind zwei Fragen besonders wichtig (9)

Ich möchte Ihnen von . . . erzählen

Ich möchte Ihnen zeigen, . . .

There are two questions which are particularly important for us

I'd like to tell you about . . .

I'd like to show you . . .

Ordering events

Also, unsere erste Fage war, . . . (9)

Eine andere Frage . . . (9)

erstens, zweitens, drittens, viertens (9)

Ich fasse also kurz zusammen (9)

dann

Beginnen wir mit . . .

Gehen wir jetzt zu . . . über

zum Schluß

in diesem Zusammenhang

wie Sie sehen können

So, our first question was . . .

Another question . . .

firstly, secondly, thirdly, fourthly

I'll sum up briefly

then

Let's begin with

Now let's move on to . . .

in conclusion

in this connection

as you can see

4   Negotiations

General

Wir möchten unsere Wünsche erklären (3)

Dann möchten wir Ihre Bedingungen hören (3)

Ich habe einen Vorschlag für unsere Diskussion (3)

Sind Sie damit einverstanden? (3)

Beginnen Sie, bitte (3)

Wie steht es mit der Sitzordnung? (4)

Wir müssen schnell zur Sache kommen (6)

Sonst noch etwas? (8)

Eine letzte Frage von unserer Seite (10)

We'd like to explain our wishes

Then we'd like to hear your conditions

I have a suggestion for our discussion

Are you in agreement with that?

You begin, please

What about the seating?

We have to get down to business quickly

Anything else?

A final question from our side

Presenting a point of view

aus diesem Grund (7)

Mit Ihrem Raum habe ich ein Problem (7)

Deswegen bin ich bereit, den Preis zu ändern (7)

Wenn wir Ihre Übernachtungen organisiern können (7)

Deswegen schätzen wir seine Meinung (7)

for this reason

I have a problem with your room

For this reason I am willing to change the price

If we can organise your overnight stays

That's why we value his opinion

Agreeing

Expressing agreement

Ja, das geht (3)

Einverstanden (3)

Meiner Meinung nach, ja (3)

Yes, that'll work

Agreed

In my opinion, yes

Ich bin damit einverstanden (3)	*I agree with that*
Sie haben recht (4)	*You're right*
Das sehe ich ein (8)	*I see that*
Genau meine Meinung (8)	*Exactly my opinion*

Confirming

Natürlich (1)	*Of course*
Ja, sicher (1)	*Yes, certainly*
In Ordnung (2)	*Alright*
Jawohl (3)	*Yes*
Ganz richtig (4)	*Quite right*
Sie haben mich überzeugt (8)	*You've convinced me*

Positive responses

Das ist kein Problem (1)	*That's not a problem*
Das ist interessant (1)	*That's interesting*
Gut (1)	*Good*
Schön (2)	*Fine*
Gute Idee (2)	*Good idea*
Der Vorschlag ist gut (3)	*The suggestion is good*
Aber gern (4)	*But with pleasure*
Ist das nicht wunderbar?	*Isn't that wonderful?*
Ich verstehe (7)	*I understand*
Selbstverständlich (7)	*Of course*
Richtig (7)	*Right*
Stimmt (7)	*Exactly*

Disagreeing

Nicht so schnell (2)	*Not so fast*
Nein, gar nicht (3)	*No, not at all*

Expressing doubt

Ich weiß nicht (2)	*I don't know*
Einen Moment, bitte (2)	*Just a moment, please*
Wahrscheinlich (3)	*Probably*
Ich habe keinen Spielraum (7)	*I've no room for manoeuvre*

5 Telephoning

Here is a list of the most common phrases used in business telephone conversations. Note that the same courtesy rules about forms of address apply on the telephone, although a little less rigidly so. The symbol * indicates the phrases you are most likely to have to use yourself, rather than merely understand when other people say them to you.

Making contact

Firma Continental, guten Tag	*is what you'll probably hear from the person on the switchboard*

Hotel Europa, Breitner, guten Morgen	*is what you'll probably hear from a secretary or assistant*
Zimmermann	*is what you'll probably hear from the person you've asked to be put through to*

Identifying yourself or others

*Mein Name ist Knopf, Firma Continental (1)	*My name is . . .*
Breitner am Apparat (8)	*Breitner speaking*
Wie ist der Name bitte? (1)	*What's the name, please?*
Wer spricht bitte? (1)	*Who's that speaking?*

Requesting

Was kann ich für Sie tun? (1)	*What can I do for you?*
Wen möchten Sie sprechen?	*Who would you like to speak to?*
Mit wem möchten Sie sprechen?	*To whom would you like to speak?*
*Ich möchte Herrn Gagsch sprechen	*I'd like to speak to Herr Gagsch*
*Kann ich mit Herrn Rodert sprechen?	*Can I speak to Herr Rodert?*
Worum geht es?	*What's it about?*
Worum handelt es sich?	*What's it about?*
*Es geht um unseren Termin am Mittwoch	*It's about our appointment on Wednesday*
*Es handelt sich um seinen Besuch nächste Woche	*It's about his visit next week*

Sorting things out

Einen Moment bitte	*Just a moment*
Bleiben Sie am Apparat	*Hold the line*
Ich verbinde	*Putting you through*
Es tut mir leid, Frau Zimmermann . . .	*Sorry, Frau Zimmermann . . .*
ist nicht da	*isn't available*
ist nicht im Büro	*isn't in the office*
ist nicht im Hause	*isn't in the building*
ist in einer Besprechung	*is in a meeting*
spricht gerade	*is on the other line*
ist verreist	*is away on business*
ist auf Urlaub	*is on holiday*
*Wann kann ich sie sprechen?	*When can I get hold of her?*
*Können Sie ihr sagen, daß . . .	*Can you tell her that . . .*
*Ich rufe morgen an	*I'll call tomorrow*
*Ich rufe später zurück	*I'll call back later*

Coming to an agreement

Geht das?	*Is that alright?*
*Ich wiederhole	*I'll repeat*
Ich fasse zusammen	*I'll sum up*
Ich habe alles notiert	*I've made a note of everything*
Einverstanden	*Agreed*

Ringing off

Danke	*Thank you*
Auf Wiederhören, Frau Knopf	*Goodbye, Frau Knopf*

When there are problems

*Ich kann Sie nicht sehr gut hören	*I can't hear you very well*
Die Verbindung ist schlecht	*The line's bad*
Wir haben die Verbindung verloren	*We were cut off*
*Sprechen Sie bitte langsam	*Please speak slowly*
*Wie bitte	*I beg your pardon?*
*Buchstabieren Sie, bitte	*Could you spell it please?*

Grammar

This grammar guide offers simple explanations and practical tips to help you work through the main language points covered in *Hotel Europa Deutschland* and is presented in 45 sections. The numbers in triangles alongside the exercises refer you to these sections.

Nouns

1 Gender of nouns

All nouns in German have a specific gender:

masculine, indicated by *der*
feminine, indicated by *die*
neuter, indicated by *das*

Example:

masculine	*der Konferenzraum*
feminine	*die Preisliste*
neuter	*das Problem*

Knowing the gender of a noun is the key to making German work effectively for you. Get into the habit of learning a noun with its gender; it will save time and effort in the long run.

NOTE   nouns in German always have a capital letter.

2 Compound nouns

In German it is possible to put two or more nouns together to form a single noun. The new noun takes its gender from the last noun in the compound.

Example: *die Konferenz + der Raum = der Konferenzraum*
der Preis + die Liste = die Preisliste
der Export + das Geschäft = das Exportgeschäft

3 How to say 'the' and 'a' (1)

A noun can have a definite article (equivalent to 'the' in English) or an indefinite article (equivalent to 'a' or 'an' in English)

Example: *der Konferenzraum/ein Konferenzraum*
die Preisliste/eine Preisliste
das Problem/ein Problem

4 Plurals

Some nouns in German form their plural by adding an ending. Others stay the same as the singular. There are several different plural endings in German, and few simple easy rules to remember them by.

Example: *der Vertreter*   *die Vertreter*
           der Konferenzraum   *zwei Konferenzräume*
           die Preisliste   *drei Preislisten*
           das Hotel   *vier Hotels*

Plural endings for the nouns in this book are given in the Glossary in this format:

Example: *der Konferenzraum(-̈e)*
           die Preisliste(-en)
           das Hotel(-s)

NOTE   Plural definite articles are the same for all three genders.

Example: *der Konferenzraum*   *die Konferenzräume*
           die Preisliste   *die Preislisten*
           das Problem   *die Probleme*

5   How to say 'the' and 'a' (2)

The form of endings on *der/die/das* and the endings on *ein/eine/ein* will change, depending on the relationship of the noun to the rest of the sentence. These changes are known as case endings.
There are four cases in German, as follows:

nominative   for the subject of the sentence
accusative   for the direct object of the sentence and after some prepositions
genitive   to indicate possession (but seldom used in spoken German)
dative   for the indirect object and after some prepositions

Der/die/das

	Singular			Plural
	m	**f**	**n**	
nom	der	die	das	die
acc	den	die	das	die
gen	des	der	des	der
dat	dem	der	dem	den

Ein/eine/ein and *kein/keine/kein**

	Singular			Plural
	m	**f**	**n**	
nom	ein	eine	ein	keine
acc	einen	eine	ein	keine
gen	eines	einer	eines	keiner
dat	einem	einer	einem	keinen

* also for *mein/meine/mein*
dein/deine/dein
sein/seine/sein
ihr/ihre/ihr
unser/unsere/unser
euer/euere/euer
Ihr/Ihre/Ihr

Adjectives

6 Position

Adjectives in German may come after a verb.

Example *Der Preis ist hoch*
Die Firma ist mittelgroß
Das Produkt ist neu

When an adjective comes after a verb, it does not change or require an ending.

Adjectives usually come before a noun.

Example: *Das ist ein hoher Preis*
Das ist eine mittelgroße Firma
Das ist ein neues Produkt

7 Agreement

When adjectives come before a noun, they must agree with the gender, the number (singular or plural) and the case of the noun they describe. That means they must change by adapting their ending.

Singular	m	f	n
nom	der neue Preis	die neue Firma	das neue Produkt
acc	den neuen Preis	die neue Firma	das neue Produkt
gen	des neuen Preises	der neuen Firma	des neuen Produktes
dat	dem neuen Preis	der neuen Firma	dem neuen Produkt

Plural

nom	die neuen Preise/Firmen/Produkte
acc	die neuen Preise/Firmen/Produkte
gen	der neuen Preise/Firmen/Produkte
dat	den neuen Preisen/Firmen/Produkten

With some exceptions (e.g. Büro), nouns end in -*n* for the dative plural.

8   How to say 'my', 'your', 'his' 'her', 'our', 'its'

The words for 'my' 'your', 'his' etc are adjectives, and they must agree with the gender, number and case of the noun they describe.

Example: *meine Firma   unser Verkaufsleiter*
Wie trinken Sie Ihren Kaffee?

9   How to say 'this', 'that' etc

These adjectives single out someone or something for special attention. They must agree with the gender, number and case of the noun.

Example: *diese Firma, in diesem Hotel*

10   How to ask questions with 'which?' and 'what?'

These adjectives ask questions. They must agree with the gender, number and case of the noun.

Example: *Welcher Raum ist größer?*
Welchen Eindruck haben Sie?
Mit welchem Preis können wir rechnen?

The pattern for ***dieser/diese/dieses*** and ***welcher/welche/welches*** and **adjective** followed by **noun**:

Examples: dieser Preis   welche Firma?   warmes Wasser

	Singular			Plural
nom	dieser	diese	dieses	diese
acc	diesen	diese	dieses	diese
gen	dieses	dieser	dieses	dieser
dat	diesem	dieser	diesem	diesen

Ein/kein/mein etc + **adjective** + **noun**

a) with *der* and *das* nouns

	der Chef	das Produkt
nom	mein neuer Chef	unser neues Produkt
acc	seinen neuen Chef	unser neues Produkt
gen	ihres neuen Chefs	seiner neuen Produkte
dat	Ihrem neuen Chef	unserem neuen Produkt

b) with *die* nouns

nom	eine gute Firma
acc	eine gute Firma
gen	ihrer neuen Firma
dat	Ihrer neuen Firma

c) with plural nouns (all genders)

nom	keine neuen Preise
acc	seine neuen Preise
gen	Ihrer neuen Preise
dat	unseren neuen Preisen

Adverbs

11   How to say 'quickly', 'easily'

Adjectives are commonly used as adverbs in German without a change of form. They come as close to the verb as possible.

Example: *Er hat das **schnell** gemacht*   He did it **quickly**
          *Die Firma hat einen **gut**   The company has a **well**
          etablierten Ruf*   established reputation

Comparatives and superlatives

12   How to say 'bigger', 'more expensive'

Usually, if you want to compare two or more things, you add the ending *-er* to the adjective.

Example: *Der Konferenzraum Weimar ist billiger*

NOTE 1   Some adjectives also take an *umlaut*
Example: *groß → größer*

NOTE 2   The German for 'than' is *als*.
Example: *Das Parkhotel ist ruhiger als die anderen Hotels*

NOTE 3   When a comparative comes before a noun, it must agree with the gender, number and case of the noun.
Example: *Das ist ein neueres Produkt*

13   How to say 'the smallest', 'the most expensive'

If you want to compare three or more things, you need the definite article of the noun and you add the ending *-ste* or *-este* to the adjective.

Example: *Das Parkhotel ist das teuerste*

Superlatives are adjectives and must agree with the gender, number and case of the noun.

NOTE   Irregular comparisons are:

gut   besser   das beste
hoch   höher   das höchste
viel   mehr   das meiste
nahe   näher   das nächste

14   Saying 'more easily', 'most importantly' etc _____

The comparative form of the adverb is formed in exactly the same way as adjectives form their comparatives, i.e. by adding the ending -*er*.

Example: *Firma Rehberger liefert* **häufiger**
            Rehberger delivers **more frequently**

The superlative form of the adverb is made up of two words: *am* and the adjective plus the ending -*sten* or -*esten*.

Example: *Man fährt* **am schnellsten** *mit der Bahn*
            You will get there **most quickly** by train

NOTE   Irregular superlatives of adverbs are:
gut   besser   am besten
viel   mehr   am meisten
gern   lieber   am liebsten
hoch   höher   am höchsten
nah   näher   am nächsten
oft   öfter   am häufigsten

Verbs _____

15   How to say 'to work', 'to manufacture' etc

Dictionaries and vocabulary lists always present verbs in the infinitive form, eg *trinken*/to drink.

In German, the infinitive form always consists of the verb stem and the ending -*en*.

Example: *kaufen* (to buy)
            sehen (to see)
            fragen (to ask)

There is one exception: the verb *sein* (to be)

16   Types of verb in German _____

There are three main types of verb in German: strong, weak and irregular.

Strong verbs generally change the stem vowel in the past tense and the past participle; eg *nehmen, nahm, genommen*.
Weak verbs do not change the stem in the past tense and the past participle; *hoffen, hoffte, gehofft*.

Irregular verbs have features of strong and weak verbs. Like strong verbs, they change in the past tense and the past participle, but they have the same endings as weak verbs; eg *wissen, wußte, gewußt*.

17 Pattern for the present tense

The basic pattern for the present tense is the same for all verbs, strong, weak or irregular.

Pattern of endings for the present tense

kaufen (to buy)
Take the verb stem (*kauf-*) and add these endings:

ich kauf**e**	wir kauf**en**
du kauf**st**	ihr kauf**t**
er/sie/es kauf**t**	sie/Sie kauf**en**

NOTE 1   In German there is only one present tense, and it may therefore have the same meaning as English conveys in sentences such as:

I work at Siemens	*Ich arbeite bei Siemens*
He is working at Siemens	*Er arbeitet bei Siemens*
He does not work at Siemens	*Er arbeitet nicht bei Siemens*
Do you work at Siemens?	*Arbeiten Sie bei Siemens?*

NOTE 2   Some verbs also have a vowel change, or add an umlaut in the *du* or *er/sie/es* form;

Example: *nehmen   ich nehme   fahren   ich fahre*
du nimmst   du fährst
er/sie/es nimmt   er/sie/es fährt

18 The verb *sein* (to be)

In most languages, the verb 'to be' follows no regular pattern, and this is also the case for *sein*. The forms of the present tense are:

ich bin	wir sind
du bist	ihr seid
er/sie/es ist	sie/Sie sind

19 The verb *haben* (to have)

In the present tense, *haben* follows a more regular pattern than *sein*:

ich habe	wir haben
du hast	ihr habt
er/sie/es hat	sie/Sie haben

20 Modal Verbs: *dürfen, können, mögen*, müssen, sollen, wollen*

The forms of the present tense are:

dürfen

		können	
ich darf	wir dürfen	ich kann	wir können
du darfst	ihr dürft	du kannst	ihr könnt
er/sie/es darf	sie/Sie dürfen	er/sie/es kann	sie/Sie können

mögen

		müssen	
ich mag	wir mögen	ich muß	wir müssen
du magst	ihr mögt	du mußt	ihr müßt
er/sie/es mag	sie/Sie mögen	er/sie/es muß	sie/Sie müssen

sollen

		wollen	
ich soll	wir sollen	ich will	wir wollen
du sollst	ihr sollt	du willst	ihr wollt
er/sie/es soll	sie/Sie sollen	er/sie/es will	sie/Sie wollen

*NOTE 1   *mögen* (to like)
In modern German, this verb is most commonly used in its conditional form *ich möchte* (I would like). The pattern is as follows:

ich möchte	wir möchten
du möchtest	ihr möchtet
er/sie/es möchte	sie/Sie möchten

NOTE 2   Modal verbs are commonly used with the infinitive of another verb to complete the sentence.

Example: *Was kann ich für Sie tun?*
Er möchte den Konferenzraum Berlin besichtigen

21 Separable verbs

These are a special feature of German. They consist of a preposition (see 31 below) and a verb.

Example: *an/rufen*   *er **ruft** das Hotel **an***
ab/schicken   *sie **schickt** die Post **ab***
vor/stellen   *sie **stellt** ihn **vor***

22 Reflexive verbs

These consist of a verb and a reflexive pronoun (see 28 and 29 below). The pronoun always refers back to the subject.

Example: sich freuen   **ich** freue **mich**
sich setzen   **er** setzt **sich**
sich melden   **wir** melden **uns**
sich setzen   Setzen **Sie sich**

23   Talking about the past (1)

In English, when you want to talk about something which has happened in the past, you can use the verb 'to have' and the past participle of the appropriate verb; for example, 'I have seen', 'they have given' etc. German works in a very similar way, although there are some differences. This form of the verb is called the perfect tense.

Note that English has two ways of talking about what has already happened; for example, *er hat geschrieben* means both 'he has written' and 'he wrote'.

a) Strong, weak and irregular verbs

Most verbs in German form their perfect tense by combining *haben* and a past participle. There are differences in the way the past participle is formed, depending on whether the verb is strong, weak or irregular.

The past participles of **strong** verbs change the stem vowel and add *-en*.
The past participles of **weak** verbs add *-t* to the stem.
The past participles of **irregular** verbs change the stem vowel and add *-t* to the stem.

Examples:	**Strong**	**Weak**	**Irregular**
	schreiben	fragen	denken
	ich habe geschrieben	er hat gefragt	sie hat gedacht

NOTE 1   The past participle of strong and irregular verbs is given in the Glossary.

NOTE 2   Verbs beginning with *be-*, *ent-*, *er-*, *ver-*, and *zer-* and verbs with infinitives ending in *-ieren* do not add *ge-* to form the past participle.

Examples:	vergessen	ich habe vergessen
	telefonieren	sie hat telefoniert

b) Verbs using *sein*

Some verbs, especially those describing movement or travel, use *sein* and the past participle to form the past tense.

Example: *ich bin gefahren, er ist gekommen*

Here is a list of the most common verbs which take *sein* to form their past tense:

bleiben (to stay)	*ich bin geblieben*
fallen (to fall)	*ich bin gefallen*
fliegen (to fly)	*ich bin geflogen*
gehen (to go)	*ich bin gegangen*
kommen (to come)	*ich bin gekommen*
laufen (to run, walk)	*ich bin gelaufen*
sein (to be)	*ich bin gewesen*
sinken (to sink, go down)	*der Preis ist gesunken*

steigen (to climb, go up)   *der Preis ist gestiegen*
sterben (to die)   *der Chef ist gestorben*
wachsen (to grow)   *die Firma ist gewachsen*
werden (to become)   *er ist Personalleiter geworden*

c) Separable verbs in the past

In the perfect tense, separable verbs add their preposition to the past participle to form one word.

Example: *an/rufen*   *er hat schon **angerufen***
          ab/fahren   *der Zug ist pünktlich **abgefahren***
          aus/machen *es hat nichts **ausgemacht***

24   Talking about the past (2)

The imperfect tense of *sein* and *haben*

German prefers the imperfect tense of *sein* and *haben* to express the past. In English, this is equivalent to 'he was' and 'I had' etc.

sein   **haben**
ich war   wir waren   ich hatte   wir hatten
du warst   ihr wart   du hattest   ihr hattet
er/sie/es war sie/Sie waren   er/sie/es hatte sie/Sie hatten

Modal verbs in the past

In German modal verbs are also used in the imperfect tense to express the past. They follow this pattern:

sollen
ich sollte   wir sollten   (I was supposed to)
du solltest   ihr solltet
er/sie/es sollte   sie/Sie sollten

Other modals are:

können   *ich konnte*   I was able to
dürfen   *ich durfte*   I was permitted to
mögen   *ich mochte*   I liked to
müssen   *ich mußte*   I had to
wollen   *ich wollte*   I wanted to

25   Expressing the future

German expresses the future in two ways, as follows:

a) by using the present tense
Example: *sie kommt nächste Woche*

b) by combining *werden* with the infinitive
Example: ich werde ⎫
                du wirst ⎪
                er/sie/es wird ⎬ nächste Woche kommen
                wir werden ⎪
                ihr werdet ⎪
                sie/Sie werden ⎭

26 How to give commands

To express a command, you use a form of the present tense called the imperative. There are three persons in the imperative.

present tense	imperative	meaning
du kommst	komm	come
wir gehen	gehen wir	let's go
Sie sehen	sehen Sie	look

27 Impersonal verbs

Some verbs in German are most commonly used impersonally. They include:

gefallen (to please)	*es gefällt mir*	I like it
gelingen (to succeed)	*es gelingt ihm*	he is succeeding
geschehen (to happen)	*es geschieht*	it is happening
regnen (to rain)	*es regnet*	it is raining

man + 3rd person singular of the verb conveys an impersonal meaning.

Pronouns

28 How to say 'I', 'me', 'to me' etc

A pronoun replaces a noun; it must agree with the gender, number and case of the noun it replaces.

Example:	*Herr Fischer ist in Berlin*	*Er ist in Berlin*
	Der Konferenzraum ist groß	*Er ist groß*
	Haben Sie die Preisliste?	*Ja, ich habe **sie***
	Wie ist das Hotel?	*Ich kenne **es** nicht*
	Geben Sie Herrn Fischer das Referat	*Ich habe **es ihm** schon gegeben*

NOTE 1   In English, 'to' is not always expressed; *er schickt uns eine Preisliste* (he is sending (to) us a price list)

NOTE 2   A pronoun can also be the object of an infinitive and should be placed close to it.

Kann ich Ihnen helfen?	Can I help you?
Sie wird ihn morgen anrufen	She will phone him tomorrow

Pronouns

Singular   *ich/du/er/sie/es*

nom	ich	du	er	sie	es
acc	mich	dich	ihn	sie	es
gen	[this case has fallen into disuse]				
dat	mir	dir	ihm	ihr	ihm

Plural *wir/ihr/sie/Sie*

nom	wir	ihr	sie	Sie
acc	uns	euch	sie	Sie
gen	[this case has fallen into disuse]			
dat	uns	euch	ihnen	Ihnen

29 How to say 'help yourself', '(may I) introduce myself' etc

Reflexive pronouns are usually used in conjunction with a verb (see 22 above). They refer back to the subject of the verb, but they must agree with the object (direct or indirect) of the verb concerned.

Example: *Er setzt sich* He sits down (lit. seats himself)
Ich stelle mir vor I imagine (lit. place . . . before myself)

Reflexive pronouns

Singular *ich/du/er/sie/es*

nom	ich	du	er	sie	es
acc	mich	dich	sich	sich	sich
gen	[this case has fallen into disuse]				
dat	mir	dir	sich	sich	sich

Plural *wir/ihr/sie/Sie*

nom	wir	ihr	sie	Sie
acc	uns	euch	sich	sich
gen	[this case has fallen into disuse]			
dat	uns	euch	sich	sich

30 How to say 'who' and 'which'

When 'who' and 'which' are the subject of the verb, use the definite article (*der/die/das*) to form a link between a main clause and a subordinate clause.

Example: . . . *eine Französin, **die** ihr Hotelstudium in England abgeschlossen hat*

When 'who(m)' and 'which' are the direct or indirect object of the verb, the relative pronoun must agree with the gender, number and case of the noun it replaces.

Example: . . . *unser Herr Breitner, **den** wir ja alle kennen*

NOTE When the relative pronoun is linked by a preposition to the main clause, its case will be determined by the preposition.

Example: . . . *eine Firma, **mit der** wir schon Kontakt haben*
. . . *ein Produkt, **von dem** wir schon gehört haben*

Prepositions

31 Position and use

Prepositions come before a noun to indicate direction, location or connection.

Example: *Gehen wir **in** den Konferenzraum?*

The case of the noun will depend on the preposition used.

These prepositions are always followed by the accusative case:

bis	*bis nächstes Jahr*	until next year
durch	*durch den Konferenzraum*	through the meeting room
gegen	*gegen die Konkurrenz*	against the competition
für	*für unseren Projektleiter*	for our project manager
ohne	*ohne effektives Marketing*	without effective marketing
um	*um diesen Preis*	at this price
	um dieses Thema	about this project

These prepositions are always followed by the dative case:

aus	*aus einer anderen Stadt*	from another town
außer	*außer mir*	apart from me
	außer dieser Firma	except this company
bei	*bei der Firma Continental*	at Firma Continental
gegenüber	*gegenüber der Kantine*	opposite the canteen
mit	*mit unseren Vertretern*	with our agents
nach	*nach dem Essen*	after the meal
seit	*seit acht Jahren*	for eight years
	seit letzter Woche	since last week
von	*von meinem Chef*	from my boss
zu	*zu einem neuen System*	to a new system
	zu diesem Punkt	on this point

These prepositions can take either the accusative or the dative case. As a general rule, they take the accusative if the idea of movement is present; they take the dative when the situation described is static or unchanging.

an	*Er geht an die Bar*
	Sie ist am Telefon
auf	*Das geht auf meine Rechnung*
	auf der zweiten Etage
hinter	*Gehen Sie hinter den Empfang*
	Sein Büro ist hinter dem Postraum
in	*Er geht in den Konferenzraum*
	Frau Zimmermann ist im Konferenzraum
neben	*Er legt die Unterlagen neben die Broschüren*
	Der Postraum ist neben dem Übersetzungsbüro

über	*Das Flugzeug fliegt über die Stadt*
	Die Personalabteilung ist direkt über der Geschäftsleitung
unter	*Wir setzen diese Platte unter die Bohrmaschine*
	Ich habe 270 Leute unter mir!
vor	*Ich lege es vor ihn*
	Vor dem Haupteingang ist ein großer Parkplatz
zwischen	*Stellen Sie es zwischen die Stühle*
	Zwischen dem alten Produkt und dem neuen ist kein großer Preisunterschied

N.B. The prefix **da–** or **dar–** can be added to some prepositions when referring to something without naming it.

Example: *Ich bin **damit** sehr zufrieden.*

Word order

32   Word order in main clauses

In main clauses, the verb is always the second idea.

Example: *Das Hotel hat ein gutes Restaurant*
Herr Fischer kommt um elf

33   Inversion

The verb and the subject are inverted when the subject is not the first idea in the sentence.

Example: *Letztes Jahr haben wir ein neues Computersystem installiert*
Heute besprechen wir die Bewerbungen

34   Word order in subordinate clauses

In subordinate clauses, the verb goes to the end of the clause.

Example: *Er möchte wissen, wann er Frau Zimmermann sprechen kann*
Ich schlage vor, daß wir damit beginnen.
Wenn ich richtig verstehe, ist der Konferenzraum Weimar heute frei

35   Time and place

Zeit vor Ort   Time always comes before place.

Example: *Er fliegt um 14.25 nach Paris*

Questions and answers

36   Asking direct questions

The simplest way to ask a question is to reverse the order of the verb and subject.

Example: *Haben Sie Zeit?   Kommen Sie mit?   Hat er geschrieben?*

There are two further ways of asking direct questions in German. The first way is to use one of the following question words and invert the verb and the subject.

Examples:

wer	who	*wer ist Herr Fischer, bitte?*
was	what	*Was kann ich für Sie tun?*
wann	when	*Wann kommt er?*
wo	where	*Wo arbeiten Sie?*
wie	how	*Wie ist das Hotel* [What is the hotel like?]
warum	why	*Warum fragen Sie?*

The second way is to make a statement, followed by *nicht wahr?*

Examples: *Der Konferenzraum Berlin ist heute frei, nicht wahr?*
Die neue Preisliste haben Sie, nicht wahr?
Sie kennen unser Restaurant, nicht wahr?

37   Asking indirect questions

You can use the same question words to ask an indirect question but the word order will change accordingly.

Examples: *Wann kommt er?*
Wissen Sie schon, wann er kommt?

Wo arbeiten Sie?
Darf ich fragen, wo Sie arbeiten?

Wie ist das Hotel?
Ich möchte wissen, wie das Hotel ist

You can also use *ob* (whether) to ask an indirect question, but the word order will change accordingly.

Example: *Fragen Sie Frau Knopf, ob sie im Hotel übernachten will*

38   Giving reasons

The most common words are *weil* and *deswegen*. When giving an explanation using *weil* or *deswegen*, you will need to change the word order.

Example: *Hotel Europa hat die besten Konferenzräume*
Ich habe mit dem Hotel Europa verhandelt
*Ich habe mit dem Hotel Europa verhandelt, **weil** es die besten Konferenzräume hat*
*Das Hotel Europa hat die besten Konferenzräume, und **deswegen** habe ich mit diesem Hotel verhandelt.*

NOTE   When using *weil*, you will also need to change the sequence of ideas.

39 Saying 'no' or 'not/not a/not any'

There are two words in German to express this idea. They are *nicht* and *kein/keine/kein*.

a) *Nicht*

Nicht means 'not'.
In a sentence, the position of *nicht* may change. Here are some guidelines to help you:

When the verb is in the present tense, *nicht* comes immediately after the verb.

Example: *Die Maschine funktioniert nicht*

In longer sentences, *nicht* may come at the end of the sentence for added emphasis.

Example: *Hat er die Produktliteratur nicht bekommen?*

In sentences where *nicht* belongs in the subordinate clause, it generally comes immediately before the verb.

Examples: *Ich möchte wissen, warum die Maschine nicht funktioniert*
Können Sie erklären, warum er die Produktliteratur nicht bekommen hat?

b) *kein/keine/kein*
This is the second way of saying 'no', 'not a' or 'not any', depending on context.

Examples: *Wir haben keinen Platz im September*
Die Firma hat keine Konkurrenz in diesem Bereich
Wir haben keine Probleme mit diesem Lieferanten

NOTE 1 *nicht* and *kein* are not interchangeable.
NOTE 2 *kein/keine/kein* must agree with the gender, number and case of the noun.

40 Using ß

ß is pronounced like *ss* in English. It is not interchangeable with *ss*. In fact, it is generally considered incorrect to replace it by *ss* in writing; however, it may appear like that in some word-processed texts.

Confusion arises about when to use *ß* and when to use *ss*, because sometimes a word will appear to use both in an arbitrary manner. This is not the case. For *ß* to be used, one of the following circumstances applies:

- *ß* follows a long vowel; eg Straße, Fuß
- *ß* comes before a consonant; eg faßt, mußte
- *ß* comes at the end of the word; eg Gruß, Fluß
- *ß* follows certain diphthongs; eg fleißig

NOTE   In practice, often more than one of these circumstances will apply.

Difficulties arise when the form of the word changes; eg when it takes an ending. The verb *müssen* is a good example of some of the rules in practice.

müssen	none apply
ich/er/sie/es muß	at the end of the word
du mußt	before a consonant

Similarly, a plural ending can change the circumstances:

der Fluß (sing)	at the end of the word
die Flüsse (plural)	none apply
der Gruß (sing)	after a long vowel
die Grüße (plural)	after a long vowel

Numbers, dates and time

41   Numbers

1	eins	30	dreißig
2	zwei	40	vierzig
3	drei	50	fünfzig
4	vier	60	sechzig
5	fünf	70	siebzig
6	sechs	80	achtzig
7	sieben	90	neunzig
8	acht	100	hundert
9	neun	101	hunderteins
10	zehn	120	hundertzwanzig
11	elf	199	hundertneunundneunzig
12	zwölf	200	zweihundert
13	dreizehn	1000	(ein)tausend
14	vierzehn	1001	tausendeins
15	fünfzehn	1100	eintausendeinhundert
16	sechzehn	1101	eintausendeinhundertundeins
17	siebzehn	5000	fünftausend
18	achtzehn	1 000 000	eine Million
19	neunzehn	2 000 000	zwei Millionen
20	zwanzig	1 000 000 000	eine Milliarde
29	neunundzwanzig		

NOTE 1   decimals are written and said as follows: 1,5 (*eins komma fünf*); 10,4 (*zehn komma vier*)

NOTE 2   Percentages and fractions are expressed as follows: 10% (*zehn Prozent*), 25% (*fünfundzwanzig Prozent*); ½ (*einhalb*), ¼ (*einviertel*), ¾ (*dreiviertel*), and 1½ (*eineinhalb* or *anderthalb*)

42 Days of the week

Montag	Monday	*Freitag*	Friday
Dienstag	Tuesday	*Samstag*	Saturday
Mittwoch	Wednesday	*Sonnabend*	Saturday
Donnerstag	Thursday		(used in North Germany)
		Sonntag	Sunday

(am) nächsten Montag	(on) next Monday
(am) letzten Montag	(on) last Monday
montags	on Mondays
jeden Montag	every Monday
(am) Montag vormittag	(on) Monday morning
montags am Vormittag	Monday mornings
jeden Montag am Vormittag	every Monday morning
(am) Montag Nachmittag	(on) Monday afternoon
montags um Nachmittag	Monday afternoons
jeden Montag am Nachmittag	every Monday afternoon
Montag abend	Monday evening
montags am Abend	Monday evenings
jeden Montag am Abend	every Monday evening

43 Months of the year

Januar	January	*Juli*	July
Februar	February	*August*	August
März	March	*September*	September
April	April	*Oktober*	October
Mai	May	*November*	November
Juni	June	*Dezember*	December

NOTE The German for 'in April' is *im April*.
Occasionally, the word *Monat* will be added; eg *im Monat April*.

44 Dates

German uses the ordinal numbers for giving dates. These are formed as follows:

eins	erster/erste/erstes	**sieben**	siebter/siebte/siebtes
zwei	zweiter/zweite/zweites	**acht**	achter/achte/achtes
drei	dritter/dritte/drittes	**neun**	neunter/neunte/neuntes
vier	vierter/vierte/viertes	**zehn**	zehnter/zehnte/zehntes
fünf	fünfter/fünfte/fünftes	**elf**	elfter/elfte/elftes
sechs	sechster/sechste/sechstes	**zwölf**	zwölfter/zwölfte/zwölftes

Ordinals are adjectives and must agree with the gender, number and case of the noun.

Example: *Heute ist der erste Mai*
am ersten Mai
in der ersten Maiwoche

NOTE   In correspondence, contracts and agreements, the place and the date are given as follows:

Karlsruhe, den 6. Januar 1992
Chemnitz, den 20. Dezember 1992

45   Telling the time

The easiest way of telling the time in German is to use the 24-hour clock, which is always used for train and flight times, for radio and television broadcasts and frequently in business and social communication.

01.15	*ein Uhr fünfzehn*
10.20	*zehn Uhr zwanzig*
18.45	*achtzehn Uhr fünfundvierzig*
22.00	*zweiundzwanzig Uhr*

The conventional way of telling the time is based on the 12-hour clock.

Wie spät ist es?	What's the time?
Wieviel Uhr ist es?	What time is it?

Es ist acht Uhr	eight o'clock
fünf Minuten nach acht	five past eight
viertel nach acht	quarter past eight
zwanzig Minuten nach acht	twenty past eight
halb neun	half past eight
zwanzig Minuten vor neun	twenty minutes to nine
viertel vor neun	quarter to nine
zehn vor neun	ten to nine

NOTE 1   In South Germany and Austria, these expressions are also common: *viertel neun*   quarter past eight
(lit. quarter of the way to nine o'clock)
dreiviertel neun   quarter to nine

NOTE 2   When using the 12-hour clock, the German for midday is *Mittag* and for midnight *Mitternacht*. *Zu Mittag* can mean both 'at midday' or 'at lunchtime', possibly because in German-speaking countries the main meal of the day is normally eaten at about 12.00 noon or a little later.

NOTE 3   The German for 'am' and 'pm' is *morgens/vormittags* and *nachmittags/abends*, depending on the time of day.

Example:	*acht Uhr morgens*	eight o'clock in the morning
	zehn Uhr vormittags	ten am
	drei Uhr nachmittags	3.00 pm
	acht Uhr abends	eight o'clock in the evening

Glossary

Each noun is followed by the plural form in brackets then the gender (m = masculine, f = feminine, n = neuter). Verbs are followed by irregular past participles where appropriate. Separable verbs are marked as follows: *ab/fahren*

Abend (-e) m *evening*
Abendessen (-) n *evening meal*
aber *but*
ab/fahren (abgefahren sein) *to leave*
Abflug (-̈e) m *flight departure*
abgeschlossen *finished*
ab/halten (abgehalten) *to hold (a meeting)*
ab/holen *to collect*
Abitur (-e) n *A level*
Abreise (-n) f *departure*
Abreisetag (-e) m *day of departure*
ab/sagen *to cancel*
abschließen (abgeschlossen) *to conclude*
Abschluß (-̈sse) m *end*
Abschnitt (-e) m *excerpt, section*
Absprache (-n) f *agreement*
Abteilung (-en) f *department*
ach *oh*
acht *eight*
achten *to pay attention to*
achtunddreißig *thirty-eight*
Adapter (-) m *adaptor*
Adresse (-n) f *address*
ähnlich *similar*
älter *older*
ändern *to alter*
Änderung (-en) f *change*
äußern *express*
Aktenschrank (-̈e) m *filing cabinet*
Aktie (-n) f *share*
Aktiengesellschaft (-en) f *joint-stock company*
Aktienkapital n *share capital*
Aktionär (-e) m *shareholder*
Alkohol (-e) m *alcohol*
allein *alone*
allem *all*
aller *all*
allerdings *nevertheless*
Allerheiligen m *All Saints*
alles *everything*
Allianz (-en) f *alliance*
als *than*
als auch *as well as*
also *so*
alt *old*

Alter (-n) n *age*
Alternative (-n) f *alternative*
am *at*
am liebsten *most of all*
an *up*
Anbau (-ten) m *annex*
an/bieten (angeboten) *to offer*
andere *other*
an/fangen (angefangen) *to begin*
Anfrage (-n) f *enquiry*
Angabe (-n) f *information*
Angebot (-e) n *offer*
angenehm *pleasant*
Angestellte (-n) m/f *employee*
Ankunft (-̈e) f *arrival*
an/nehmen (angenommen) *to accept*
an/reisen (angereist sein) *to arrive*
Anruf (-e) m *telephone call*
an/rufen (angerufen) *to telephone*
an/sagen *to announce*
Anschluß (-̈sse) m *connection*
an/sehen (angesehen) *to watch*
Antwort (-en) f *answer*
anwesend *present*
Anzug (-̈e) m *suit*
Apfelsaft (-̈e) m *apple juice*
Apparat (-e) m *phone*
April m *April*
Arbeit (-en) f *work*
arbeiten *to work*
arbeitsintensiv *work-intensive*
Arbeitstag (-e) m *working day*
Arbeitstisch (-e) m *worktable*
Arbeitsunterlage (-n) f *working document*
Arbeitszimmer (-) n *work room*
Aschenbecher (-) m *ashtray*
Aspekt (-e) m *aspect*
Assistent/in (-en/-nen) m/f *assistant*
Atlantikküste (-n) f *Atlantic coast*
Atmosphäre (-n) f *atmosphere*
auch *also*
auf *to*
Aufenthalt (-e) m *stay*
aufgeben (aufgegeben) *to give up*
Aufmerksamkeit (-en) f *attentiveness*
Aufsichtsrat (-̈e) m *supervisory board*
Auftrag (-̈e) m *order*

Auftraggeber (-) m *initiator*
Aufzug (-̈e) m *lift*
Augenblick (-e) m *moment*
August m *August*
aus *from*
Ausbildung (-en) f *training*
Ausdruck (-̈e) m *expression*
aus/füllen *to fill in*
Ausgang (-̈e) m *exit*
ausgezeichnet *excellent*
aus/handeln *to negotiate*
Ausland n *foreign country*
Auslandsflug (-̈e) m *international flight*
aus/machen *to matter*
Ausnahme (-n) f *exception*
aus/nutzen *to use up*
aus/probieren *try out*
aus/rechnen *to work out, calculate*
außerdem *besides*
aus/sprechen (ausgesprochen) *to express*
Ausstattung (-en) f *equipment*
Aussteller (-) m *exhibitor*
aus/stellen *to exhibit*
Ausstellung (-en) f *exhibition*
aus/suchen *to look for*
aus/trinken (ausgetrunken) *to drink up*
aus/wählen *to select*
auswärts *out of town*
Auswahl (-en) f *selection*
Auto (-s) n *car*
Autobahn (-en) f *motorway*
Automobilherstellung f *car production*

Bad n *bath*
bald *soon*
Bank (-en) f *bank*
Bankanstalt (-en) f *bank*
Bankettbüro (-s) n *conference office*
Bankettleiterin (-nen) f *functions manager*
Bankleitzahl (-en) f *bank sort code*
Banküberweisung (-en) f *bank transfer*
Bar (-s) f *bar*
bargeldlos *without cash*
Bayern n *Bavaria*
beantworten *to answer*
beauftragen *to commission*

bedanken (sich) to thank
bedeuten to mean
bedeutend important
bedienen to serve
Bedienung f service
Bedingung (-en) f condition
Bedürfnis (-se) n need
beenden to end
befinden (sich) (befunden) to be
  situated
begeistert delighted
beginnen (begonnen) to begin
begründen substantiate
begrüßen to greet
bei at/for/with
beide both
beinhalten to contain
Beispiel (-e) n example
Beitrag (-e) m contribution
bekannt well-known
bekommen (bekommen) to receive
beliebig whatever
beliebt popular
beliefern to supply
benötigen to need
benutzen use
beobachten to observe
bequem comfortable
berechnen to charge
Bereich (-e) m area
berichten to inform
Berlin Berlin
berücksichtigen to consider
Beruf (-e) m profession
beruflich professionally
Berufserfahrung (-en) f professional
  experience
Bescheid sagen to inform
beschränkt limited
beschreiben (beschrieben) to describe
Beschwerde (-n) f complaint
besichtigen to inspect
Besichtigung (-en) f inspection
besonders especially
besprechen (besprochen) to discuss
Besprechung (-en) f discussion
besser better
bestätigen to confirm
Bestätigung (-en) f confirmation
beste best
bestellen to order
Bestes best
bestimmt certainly
Besuch (-e) m visit, visitor
besuchen to visit
Besucherzimmer (-) n visitors' room
Betr. = Betreff reference
betr. = betrifft (betroffen) concerning
Betrieb (-e) m firm
Betriebsklima (-s) n working climate
Betreuung f hospitallity
beurteilen to judge
Beurteilung (-en) f judgement

Bewerber/in (-/-nen) m/f applicant
Bewerbung (-en) f application
Bewertung (-en) f evaluation
bezahlen to pay
Bezahlung (-en) f payment, salary
beziehen (sich) (bezogen) to refer to
beziehungsweise or . . . as the case may
  be
Bier (-e) n beer
Bild (-er) n picture
Bildungswesen n education and training
Billiardzimmer (-) n billiards room
bin (gewesen sein) am
bis to, until
bisherig previous
bißchen bit
bitte please
bitten (gebeten) to request
bitter bitter
bleiben (geblieben sein) to stay
Blume (-n) f flower
Branche (-n) f line of business
brauchen to need
breit wide
Brief (-e) m letter
Briefpapier (-e) n writing paper
bringen (gebracht) to bring
Broschüre (-n) f brochure
Brüssel Brussels
Buch (-er) n book
buchen to book
Buchhandlung (-en) f bookshop
Buchmesse (-n) f bookfair
buchstabieren to spell
Buchung (-en) f booking
Buchungsliste (-n) f bookings list
Budget (-s) n budget
Bücherregal (-e) n bookshelf
Büffet (-s) n buffet
Bühne (-n) f stage
Bundesbahn f Federal Railway
Bundesland (-er) n Federal State
Bundesrepublik f Federal Republic
Bundestag m Federal Parliament
Bürger (-) m citizen
Büro (-s) n office
Büroangestellte (-n) f office worker

Chance (-n) f chance
Chef (-s) m boss
Chemikalien fpl chemicals
Computer (-) m computer
Computer-Center (-s) n computer centre

da there
dabei with it/them
dafür for, of that, those
Dame (-n) f lady
damit so that
damit with it/them
Dank m thanks
danke thank you
dann then

daran of it/them
darf (dürfen) to be allowed to (may)
das that, which
das the
daß that
Daten (plural) dates
Datum (Daten) n date
dauern to last
Dekorationsfläche (-n) f wallspace
den the
Denkzettel (-) m memo
denn for
der the
dergleichen suchlike
des of the
deshalb therefore, because of this
deswegen therefore, because of this
Detail (-s) n detail
deutsch German
Deutschland n Germany
Devise (-n) f hard currency
Dezember m December
Dialog (-e) m dialogue
die the
Dienstag m Tuesday
Dienstleistung (-en) f service
dienstlich official
diese this
dieser this
dieses this
Dipl. Kfm. = Diplom-Kaufmann
  graduate in economics
Diplom-Ingenieur (-e) m graduate
  engineer
direkt directly
Direktflug (-e) m direct flight
Direktor/in (-en/-nen) m/f manager
Diskussion (-en) f discussion
Diskussionskreis (-e) m discussion
  circle
diskutieren to discuss
diszipliniert disciplined
doch yes it is/they are
Doktor (-en) m doctor
Donnerstag m Thursday
Doppelfenster (-) n double glazing
Doppeltisch (-e) m twin table
Doppelzimmer (-) n double room
dort there
dorthin there
draußen outside
drei three
dreihundertfünf three hundred and five
dreimal three times
dreißig thirty
dringend urgent
dritte third
drittens thirdly
drüben over there
drücken to press
dunkel dark
dürfen (dürfen) to be allowed to (may)
durch through, by means of

durchlesen (durchgelesen) *to read through*
Durchschnitt m *average*
Durchschnittstemperatur (-en) f *average temperature*
Durst m *thirst*
Dusche (-n) f *shower*

ebenfalls *likewise*
Ecke (-n) f *corner*
Ecktisch (-e) m *corner table*
effektiv *effective*
egal *equal*
ehemalig *former*
eifrig *keen*
eigene *own*
Eigenschaft (-en) f *feature*
eigentlich *actually*
ein *a/an*
Eindruck (-e) m *impression*
einführen *to introduce*
Einführungspreis (-e) m *introductory price*
eingerichtet *laid out*
Einheit (-en) f *unit, unity*
einige *some*
Einigungsvertrag (-e) m *unification treaty*
Einkaufsdirektor (-en) m *purchasing manager*
Einkommen (-) n *income*
einladen (eingeladen) *to invite*
Einladung (-en) f *invitation*
einlegen *to insert*
einlösen *to cash*
einmal *again*
einordnen *to classify*
Einrichtung (-en) f *arrangement*
eins *one*
einschließlich *including*
einsehen (eingesehen) *to see*
einsetzen *to insert*
eintragen (eingetragen) *to register*
eintreffen (eingetroffen sein) *to arrive*
einundzwanzig *twenty-one*
einverstanden *agreed!*
einwechseln *to exchange*
Einzeltisch (-e) m *single table*
Einzelzimmer (-) n *single room*
elektrisch *electric*
Elektronik f *electronics*
elf *eleven*
Eltern (plural) *parents*
Empfänger (-) m *recipient*
Empfang (-e) m *reception*
Empfangschef (-s) m *front-of-house manager*
Empfangsleiter (-) m *front-of-house manager*
empfehlen (empfohlen) *to recommend*
enden *to end*
Energielieferant (-en) m *energy supplier*
englisch *English*

entscheiden (entschieden) *to decide*
Entscheidung (-en) f *decision*
entschuldigen *to excuse*
er *he*
Erdgeschoß (-sse) n *ground floor*
Ereignis (-se) n *event*
Erfahrung (-en) f *experience*
Erfolg (-e) m *success*
erfolgreich *successfully*
Erfrischung (-en) f *refreshment*
Erfrischungspause (-n) f *break for refreshments*
erhältlich *obtainable*
erhalten (erhalten) *to receive*
erinnern *to remind*
erinnern (sich) f *to remember*
erklären *to explain*
erlauben *to permit*
erledigen *to complete*
ernst *seriously*
eröffnen *to open*
Eröffnung (-en) f *opening*
Eröffnungskapital n *opening capital*
erreichen *to achieve*
erst *not until*
erstatten *to reimburse*
erste *first*
erwähnen *to mention*
erweitern *to extend*
es *it*
essen (gegessen) *to eat*
Essen (-) n *meal*
Etage (-n) f *floor*
etwa *approximately*
etwas *somewhat*
etwas *something*
Europa n *Europe*
europäisch *European*
eventuell *possible*
existieren *to exist*
extra *expressly*

Fahrt (-en) f *journey*
Fall (-e) m *case*
falsch *wrong*
Familie (-n) f *family*
Familienstand m *marital status*
fassen *to hold, contain*
Fastenzeit f *Lent*
Fax (-) m *fax*
faxen *to fax*
Faxnummer (-n) f *fax number*
Februar m *February*
fehlen *to be missing*
Feiertag (-e) m *holiday*
fein *fine*
Fenster (-) n *window*
Ferngespräch (-e) n *long-distance call*
Fernsehen n *television*
fertig *ready*
fest *definitively*
festlegen *to fix*
festtellen *to identify*

Finanzbüro (-s) n *finance office*
Finanzdirektor (-en) m *finance director/ manager*
Finanzsektor (-en) m *financial sector*
finanziell *financial*
Finanzplan (-e) m *financial plan*
finden (gefunden) *to find*
Firma (Firmen) f *firm*
Firmenpreis (-e) m *corporate rate*
Firmenstruktur (-en) f *company structure*
Firmentyp (-en) m *type of company*
Fisch (-e) m *fish*
fit *fit*
Fitneß-Center (-s) n *fitness centre*
Fitneßzentrum (-zentren) n *fitness centre*
fleißig *hard-working*
flexibel *flexible*
Flexibilität f *flexibility*
Fluggast (-e) m *airline passenger*
Flugschein (-e) m *air ticket*
Flugzeug (-e) m *aeroplane*
folgend *following*
Form (-en) f *shape*
Formular (-e) n *form*
formulieren *to formulate*
Fortsetzung (-en) f *continuation*
Fotokopie (-n) f *photocopy*
Fräulein (-) n *Miss*
Frage (-n) f *question*
Frankenwein (-e) m *Franconian wine*
Französin (-nen) f *French woman*
französisch *French*
Frau (-en) f *Mrs, wife, woman*
frei *free*
Freie n *open air*
Freigabe (-n) f *vacating a room*
Freitag *Friday*
Freizeit (-en) f *free time, leisure*
freuen *to please*
freuen (sich) *to be pleased*
freundlich *friendly*
freundlicherweise *kindly*
frisch *fresh*
Fronleichnam m *Corpus Christi*
früher *earlier*
Frühjahrsmesse (-n) f *Spring fair*
Frühstück (-e) n *breakfast*
frühstücken *to (have) breakfast*
führen *to lead, to hold (a conversation)*
führend *leading*
fünfunddreißig *thirty-five*
fünf *five*
fünfundvierzig *forty-five*
fünfundzwanzig *twenty-five*
fünfzehn *fifteen*
fünfzig *fifty*
für *for*
fürchten *to be afraid*
Fußball (-e) m *football*

Gang (-e) m *corridor*
ganz *quite*
gar *at all*
Garage (-n) f *garage*
Garderobe (-n) f *cloakroom*
Gast (-e) m *guest*
gastfreundlich *hospitable*
geben (gegeben) *to give*
Geburtsdatum (-daten) n *date of birth*
Geburtsort (-e) m *place of birth*
Geburtstag (-e) m *birthday*
geeignet *suited*
gefallen (gefallen) *to please*
Geflügel n *poultry*
gefunden *found*
gegen *towards*
Gegend (-en) f *area*
gegenseitig *mutually*
Gegenstand (-e) m *object*
gegenüber *opposite*
gegessen *eaten*
Gehalt (-er) n *salary*
geheim *secret*
gehen (gegangen sein) *to go*
geholfen *helped*
Geld n *money*
Gelegenheit (-en) f *opportunity*
gemeinsam *together*
genommen *taken*
genügen *to be enough*
genug *enough*
geradeaus *straight on*
Gerät (-e) n *piece of equipment*
geräumig *roomy*
gern *willingly*
gesamtdeutsch *whole of Germany*
Geschäftsführer (-) m *Managing Director*
Geschäftsleben n *business life*
Geschäftsreise (-n) f *business trip*
geschehen (geschehen sein) *to happen*
geschieden *divorced*
geschlossen *closed*
Gesellschaft (-en) f *company*
gesetzlich *by law*
Gespräch (-e) n *conversation*
gesprochen *spoken*
gestern *yesterday*
Gesundheit f *health*
Getränk (-e) n *drink*
Getränkeautomat (-en) n *drink dispenser*
gewinnen (gewonnen) *to win*
geworden (sein) *become*
gewußt *known*
gez. = gezeichnet *signed*
glauben *to believe*
gleich *all the same*
gleich *equals*
Golf n *golf*
Grad (-e) n *degree*
gratulieren *to congratulate*
Größe (-n) f *size*

größer *larger*
groß *large*
gründlich *thoroughly*
Grund (-e) m *reason*
Gruppe (-n) f *group*
günstig *favourable*
gut *good*
Gutschrift (-en) f *credit*

haben *to have*
Haftung f *liability*
halb *half*
halten (gehalten) *to hold*
Hand (-e) f *hand*
handeln (sich) *to concern*
Handelsgesellschaft (-en) f *trading company*
handhaben (gehandhabt) *to operate*
hart *hard*
hat *has*
Haupteingang (-e) m *main entrance*
Hauptfrage (-n) f *main question*
Hauptkommentar (-e) m *main comment*
Hauptproblem (-e) n *main problem*
Hauptprodukt (-e) n *main product*
Hauptsitz (-e) m *head office*
Hauptstadt (-e) f *capital city*
Haus (-er) n *house*
Hausfrau (-en) f *housewife*
hausintern *in-company*
Hausmeister (-) m *caretaker*
heißen (geheißen) *to be called*
helfen (geholfen) *to help*
hell *bright*
her *from the point of view of*
herausfinden (herausgefunden) *to find out*
Herr (-en) m *gentleman, Mr*
herrschen *to prevail*
heute *today*
heute abend *this evening*
heutig *today's*
hier *here*
hierher *(to) here*
hiesig *indigenous*
Himmelfahrt f *Ascension*
hingehen (hingegangen sein) *to go (to)*
hinter *behind*
hinterlassen (hinterlassen) *to leave behind*
hoch *high*
Hochschulabschluß (-sse) m *degree*
höher *higher*
hören *to hear*
Hof (-e) m *court, courtyard*
hoffen *hope*
hoffentlich *hopefully*
holen *to fetch*
Hotel (-s) n *hotel*
Hotelbar (-s) f *hotel bar*
Hoteleingang (-e) m *hotel entrance*
Hotelgarage (-n) f *hotel garage*

Hotelgast (-e) m *hotel guest*
Hotelkasse (-n) f *hotel cash desk*
Hotelliste (-n) f *list of hotels*
Hotelrechnung (-en) f *hotel bill*
Hotelstudium (-studien) n *hotel studies*
Hotelzimmer (-) n *hotel room*
hundert *hundred*
hundertfünfzig *one hundred and fifty*
hundertvierzehn *one hundred and fourteen*
hundertzwanzig *one hundred and twenty*
Hunger m *hunger*

IC-Bahnhof (-e) m *inter-city station*
ich *I*
Idee (-n) f *idea*
identifizieren *identify*
ihn *him/it*
ihnen *them*
Ihnen *you*
Ihr *your*
ihr *her*
ihr *(to) her*
im *in (the)*
immerhin *nevertheless*
in *in*
inbegriffen *inclusive*
Information (-en) f *information*
Informationsblatt (-er) n *flier, information sheet*
informieren *to inform*
inkl. = inklusiv *including*
ins *into*
insgesamt *altogether*
intensiv *intensive*
interessant *interesting*
interessieren *to interest*
interessieren (sich) *to be interested*
international *international*
inwiefern *to what extent*
ist (gewesen sein) *is*

ja *yes*
Jägerschnitzel (-) n *cutlet*
jährlich *annual*
Jahr (-e) n *year*
Jahresabschlußbericht (-e) m *year-end report*
Januar m *January*
jawohl *yes indeed*
jede *every*
jederzeit *anytime*
jetzt *now*
jeweilig *individual*
Journalist/in (-en/-nen) m/f *journalist*
Juli m *July*
Juni m *June*
Jurist (-en) m *lawyer*

Kabine (-n) f *cabin*
Käsebrot (-e) n *cheese sandwich*

Kaffee m *coffee*
Kaffeepause (-n) f *coffee break*
Kaffeetrinken n *for coffee*
kalt *cold*
Kamera (-s) f *camera*
kann (können) *can, to be able to*
Kantine (-n) f *canteen*
Kapazität (-en) f *capacity*
Karfreitag m *Good Friday*
Karte (-n) f *visiting card*
Kassette (-n) f *cassette*
kaufen *to buy*
kein *no*
kennen (gekannt) *to know*
kennenlernen *to get to know*
Kernfrage (-n) f *central question*
Kind (-er) n *child*
Kino (-s) n *cinema*
Kirche (-n) f *church*
klären *to clarify*
klein *small*
klingeln *to ring*
Knopf (¨e) m *button*
knüpfen *to join*
Kollege (-n) m *colleague*
Kollegin (nen) f *colleague*
Kombination (-en) f *combination*
kombinierbar *can be combined*
komfortabel *comfortable*
Kommanditgesellschaft (-en) f *limited partnership*
kommen (gekommen sein) *to come*
kommend *coming*
Kommentar (-e) m *comments*
Kompliment (-e) n *compliment*
kompliziert *complicated*
Konditorei (-en) f *confectioner's*
Konferenz (-en) f *conference*
Konferenzbereich (-e) m *conference area*
Konferenzhotel (-s) n *conference hotel*
Konferenzraum (¨e) m *meeting room*
König (-e) m *king*
Konkurrenz f *competition*
können (können) *can, to be able to*
Kontakt (-e) m *contact*
Kontaktperson (-en) f *contact*
Konto (-s) n *account*
Konzept (-e) n *concept*
Kopie (-n) f *copy*
korrekt *correct*
Kosten pl *costs*
Kostenvorschlag (¨e) m *estimate*
Kraft f, in Kraft treten *to come into force*
Kreditkarte (-n) f *credit card*
Kreis (-e) m *circle*
Kritik (-en) f *criticism*
Küche (-n) f *kitchen*
kümmern, sich kümmern um *to deal with*
Kunde (-n) m *customer*
Kundenbuch (¨er) n *customer book*
Kundendienst m *after-sales service*
kurz *briefly*

Lage (-n) f *situation*
lang *long*
langsam *slowly*
Lebenslauf (¨e) m *curriculum vitae*
Lebensstandard (-s) m *standard of living*
ledig *single*
lediglich *only*
leicht *light*
leider *unfortunately*
leisten *contribute*
leiten *to run*
Leiter (-) m *manager*
Leitung (-en) f *line*
lesen (gelesen) *to read*
Lesen n *reading*
letzt *last*
Leute pl *people*
Lieblingsrestaurant (-s) n *favourite restaurant*
Lieferant (-en) m *supplier*
Lieferung (-en) f *delivery*
Lieferzeit (-en) f *delivery time*
Linie (-n) f *line*
links *left*
Liste (-n) f *list*
lokal *local*
Luft f *air*

machen *to make*
Mai m *May*
mal *just*
mal *times*
man *one*
Manager (-) m *manager*
Mannschaft (-en) f *team*
Mantel (¨) m *coat*
Marketingabteilung (-en) f *marketing department*
Marketingdirektor (-en) m *marketing manager*
Marketingstrategie (-n) f *marketing strategy*
Markt (¨e) m *market*
Marktanteil (-e) m *market share*
März m *March*
Material (-ien) n *material*
Mauer (-n) f *wall*
mehr *more*
mein *my*
meinen *to think*
Meinung (-en) f *opinion*
meist *most*
melden (sich) *to get in touch*
Mengenrabatt (-e) m *discount for quantity*
merken *to notice*
Messe (-n) f *trade fair*
Messegelände (-) n *trade-fair site*
Methode (-n) f *method*
mich *me*
mieten *to rent*
mindestens *at least*

Mineralwasser *mineral water*
Minibar (-s) f *minibar*
Minibarzettel (-) m *minibar list*
Minimum n *minimum*
Minute (-n) f *minute*
mir *me*
mit *with*
Mitarbeiter (-) m *colleague*
Mitarbeiter-Porträt (-s) n *employee profile*
Mitarbeiterzahl (-en) f *number of employees*
miteinander *together*
mitgehen (mitgegangen sein) *to accompany*
Mitglied (-er) n *member*
mithören *to listen in*
mitnehmen (mitgenommen) *to take*
mitschicken *to send*
Mittag (-e) m *mid-day*
Mittagessen (-) n *midday meal*
Mittagspause (-n) f *lunch-break*
mittelgroß *medium-sized*
Mittelmeer n *Mediterranean*
Mittwoch m *Wednesday*
möchten *would like to*
möglich *possible*
Möglichkeit (-en) f *possibility*
Moment (-e) m *moment*
Montag m *Monday*
morgen *tomorrow*
Morgen (-) m *morning*
morgens *in the morning*
Motorenherstellung f *engine production*
müde *tired*
müssen (müssen) *to have to (must)*
Musik f *music*
Muster (-) n *pattern*
Mustermenü (-s) n *sample menu*
MWSt = Mehrwertsteuer f *VAT*

na *well*
nach *after*
nachfragen *to ask about*
Nachmittag (-e) m *afternoon*
Nachricht (-en) f *news*
Nacht (¨e) f *night*
nächst *next*
Nähe (-n) f *vicinity*
nämlich *namely*
Name (n) m *name*
natürlich *naturally*
neben *next to*
Nebenraum (¨e) m *next room*
nehmen (genommen) *to take*
nein *no*
nett *nice*
neu *new*
Neujahr n *New Year*
neun *nine*
nicht *not*
Nichtraucher (-) m *non-smoker*
nichts *nothing*

niemand   *nobody*
noch   *still*
nochmals   *once again*
norddeutsch   *north German*
Nordwesten   *north west*
normalerweise   *normally*
Normalspannung (-en) f   *normal voltage*
Note (-n) f   *mark*
notieren   *to note*
Notiz (en) f   *note*
November   *November*
Nr. = Nummer (-n) f   *number*
Nummer (-n) f   *number*
nun   *now*
nur   *only*

ob   *whether*
Ober (-) m   *waiter*
ober   *upper*
Obergeschoß (-sse) n   *upper storey*
Obst n   *fruit*
oder   *or*
Öffentlichkeitsbüro (-s) n   *public relations office*
öffnen   *to open*
offen   *open*
oft   *often*
ohne   *without*
Oktober m   *October*
Orangensaft (-e) m   *orange juice*
Ordnung f   *order*
Organisation (-en) f   *organisation*
organisatorisch   *organisationally*
organisieren   *to organise*
Orientierungsplan (-e) m   *directional map*
Ostermontag m   *Easter Monday*

paar   *few*
Paket (-e) n   *parcel*
Panoramablick (-e) m   *panoramic view*
Papierarbeit (-en) f   *paperwork*
Park (-s) m   *park*
parken   *to park*
Parkverbot (-e) n   *no parking*
Partner (-) m   *partner*
Passagier (-e) m   *passenger*
passend   *suitable*
Pause (-n) f   *break*
perfekt   *perfect*
persönlich   *personally*
Person (-en) f   *person*
Personal n   *personnel*
Personalabteilung (-en) f   *personnel department*
Personaldirektor (-en) m   *personnel director*
Personalleiter (-) m   *personnel manager*
Personalmanager (-) m   *personnel manager*
Pfingstmontag m   *Whit Monday*
pflegen   *to cultivate*

Pharmazeutika pl   *pharmaceuticals*
Pils n   *pils*
Plan (-e) m   *plan*
planen   *to plan*
Planung (-en) f   *planning*
Platte (-n) f   *dish*
Platz (-e) m   *place*
Polsterstuhl (-e) m   *upholstered chair*
positiv   *positive*
Post f   *post*
Postamt (-er) n   *post office*
Präsentation (-en) f   *presentation*
Praktikant/in (-en/-nen) m/f   *trainee*
praktisch   *practical*
Preis (-e) m   *price*
Preiserhöhung (-en) f   *price increase*
preisgünstigst   *best price*
Preisliste (-n) f   *price list*
Preisvergleich (-e) m   *price comparison*
Presseempfang (-e) m   *press reception*
Pressekonferenz (-en) f   *press conference*
Pressewerbung (-en) f   *press advertising*
prima   *first class*
Priorität (-en) f   *priority*
privat   *private*
probieren   *to try*
Problem (-e) n   *problem*
problematisch   *problematic*
Produkt (-e) n   *product*
Produktivität f   *productivity*
Produktliteratur f   *product literature*
Produktpräsentation (-en) f   *product presentation*
Programm (-e) n   *programme*
Projektleiter (-) m   *project manager*
Prokurist (-en) m   *authorised signatory*
Prospekt (-e) m   *prospectus*
provisorisch   *provisionally*
Pub (-s) m   *pub*
pünktlich   *punctually*
Punkt (-e) m   *point*

Rathaus (-er) n   *town hall*
rauchen   *to smoke*
Raucher (-) m   *smoker*
Raum (-e) m   *room*
Raumplan (-e) m   *room plan*
reagieren   *to react*
realistisch   *realistic*
rechnen   *to calculate*
Rechnung (-en) f   *bill*
recht   *right*
rechts   *right*
rechtzeitig   *on time*
Reduktion (-en) f   *reduction*
reduziert   *reduced*
Referat (-e) n   *lecture, paper*
regelmäßig   *regular*
Regierungssitz (-e) m   *seat of government*
Regionalmanager (-) m   *regional manager*
reibungslos   *smooth*

Reisebüro (-s) n   *travel agency*
Reisefreiheit (-en) f   *freedom to travel*
Reisen n   *travelling*
reservieren   *to reserve*
reserviert   *reserved*
Reservierungszentrale (-n) f   *reservation centre*
Restaurant (-s) n   *restaurant*
Resultat (-e) f   *result*
Rezeption (-en) f   *reception*
richtig   *right*
Rolle (-n) f   *role*
Rollenspiel (-e) n   *role play*
Rotwein (-e) m   *red wine*
Ruhe f   *peace*
ruhig   *quietly*
Rundgang (-e) m   *walkabout*

Saalmiete (-n) f   *room hire*
Sache (-n) f   *thing*
sagen   *to say*
Sahne f   *cream*
Saisonpreis (-e) m   *seasonal price*
Salatteller (-) m   *salad dish*
Salon (-s) m   *drawing-room, lounge*
Sauna (-s) f   *sauna*
schätzen   *to value*
schaffen   *to manage/succeed*
schalldicht   *soundproof*
Scheck (-s) m   *cheque*
schicken   *to send*
Schinkenbrot (-e) n   *ham sandwich*
schlank   *slim*
Schlüssel (-) m   *key*
Schluß (-sse) m   *conclusion*
schnell   *quickly*
schön   *beautiful*
schon   *already*
Schreibblock (-e) m   *writing pad*
Schreiben n   *letter, note*
schriftlich   *in writing*
Schriftstück (-e) n   *written document*
Schule (-n) f   *school*
Schweiz f   *Switzerland*
Schwester (-n) f   *sister*
Schwierigkeit (-en) f   *difficulty*
Schwimmbad (-er) n   *swimming pool*
schwimmen (geschwommen sein)   *to swim*
sechs   *six*
sechsundzwanzig   *twenty-six*
sechzehn   *sixteen*
sehen (gesehen)   *to see*
sehr   *very*
sein   *his*
sein (gewesen sein)   *to be*
seit   *since*
Seite (-n) f   *side*
Sekretärin (-nen) f   *secretary*
Sekretariat (-e) n   *secretariat*
selber   *themselves*
Selbstbedienung f   *self service*
selbstverständlich   *of course*

Selbstwahltelefon (-e) n   *direct-dial phone*
Seminar (-e) n   *seminar*
September m   *September*
Service m   *service*
servieren   *to serve*
setzen   *to set*
sich   *itself*
sicher   *certainly*
sicherlich   *certainly*
sie   *them*
sie   *she*
Sie   *you*
sieben   *seven*
Sieger (-) m   *winner*
sieht (gesehen)   *see*
sind (gewesen sein)   *are*
Situation (-en) f   *situation*
Sitzecke (-n) f   *'snug', place to sit*
sitzen (gesessen)   *to sit*
Sitzkomfort m   *comfort*
Sitzordnung (-en) f   *seating*
Sitzungsraum (¨e) m   *meeting room*
Sitzungszimmer (-) n   *meeting room*
Skifahren n   *skiing*
Skizze (-n) f   *sketch*
Skonto (-s) n   *prompt-payment discount*
so   *so*
sobald wie   *as soon as*
sofort   *straight away*
sogar   *even*
Sohn (¨e) m   *son*
sollen (sollen)   *ought to, should*
Sommer (-) m   *summer*
sondern   *but*
Sonderpreis (-e) m   *special price*
Sonnenterrasse (-n) f   *sun terrace*
sonnig   *sunny*
sonst   *otherwise*
Sonstiges   *AOB*
sortieren   *to sort*
Sortiment (-e) n   *selection*
sowohl als auch   *as well as*
Spanien n   *Spain*
spät   *late*
sparen   *to save*
Speisekarte (-n) f   *menu*
speziell   *specially*
Spiel (-e) n   *game*
spielen   *to play*
Spielraum (¨e) m   *room for manoeuvre*
Spielwarenmesse (-n) f   *toy fair*
Spitze (-n) f   *summit, top*
Sport m   *sport*
Sportmöglichkeit (en) f   *sports facility*
Sprachkurs (-e) m   *language course*
sprechen (gesprochen)   *to speak*
Staat (-en) m   *state*
Staatsangehörigkeit (-en) f   *nationality*
Stadt (¨e) f   *town*
Stadtmitte (-n) f   *town centre*
Stadtplan (¨e) m   *street map*
Stadtzentrum (-zentren) n   *city centre*

ständig   *constantly*
stattfinden (stattgefunden)   *to take place*
stehen (gestanden)   *to stand*
Steinberger   *Steinberg*
Stelle (-n) f   *position*
stellen   *to put*
stellvertretend   *deputy*
Steuerberater (-) m   *tax consultant*
Stil (-e) m   *style*
stimmen   *to agree*
Stimmenanteil m   *share of the votes*
Stock (Stockwerke) m   *floor*
stolz   *proud*
Straße (-n) f   *street*
Struktur (-en) f   *structure*
studieren   *to study*
Stück (-e) n   *piece*
Stuhl (¨e) m   *chair*
Stunde (-n) f   *hour*
suchen   *to look for*
süddeutsch   *south German*
Suite (-n) f   *suite*
Suppe (-n) f   *soup*
Sylvesterprogramm (-e) n   *New Year programme*
System (-e) n   *system*

Tag (-e) m   *day*
Tagesgetränk (-e) n   *refreshments*
Tageshöchsttemperatur (-en) f   *highest daytime temperature*
Tageslicht n   *daylight*
Tagesordnung (-en) f   *agenda*
Tagespresse f   *daily press*
täglich   *daily*
Tagungsbereich (-e) m   *conference area*
Tagungsgast (¨e) m   *participant*
Tagungsgetränk (-e) n   *conference drink*
Tagungspaket (-e) n   *conference package*
Tagungsraum (¨e) m   *conference room*
Tagungszentrum (-zentren) n   *conference centre*
Takt (-e) m   *cycle, rhythm*
Taschenrechner (-) m   *pocket calculator*
Tätigkeitsbereich (-e) m   *area of activity*
Taxi (-s) n   *taxi*
Team (-s) n   *team*
technisch   *technical*
Tee (-s) m   *tea*
Teil (-e) m   *part*
teilnehmen (teilgenommen)   *to take part*
Teilnehmer (-) m   *participant*
Teilnehmerliste (-n) f   *participant list*
Telefax (-) m   *fax*
Telefon (-e) n   *telephone*
Telefonbeantworter (-) m   *telephone answering machine*
Telefongespräch (-e) n   *telephone conversation*
telefonieren   *to telephone*

telefonisch   *by phone*
Telefonnachricht (-en) f   *telephone message*
Telefonnummer (-n) f   *telephone number*
Temperatur (-en) f   *temperature*
Tennis n   *Tennis*
Termin (-e) m   *appointment*
Terminplan (¨e) m   *appointments log*
testen   *to test*
teuer   *expensive*
textil   *textile*
Textilindustrie (-n) f   *textile industry*
Thema (Themen) n   *theme*
Tiefgarage (-n) f   *underground garage*
Tip (-s) m   *hint*
Tisch (-e) m   *table*
Titel (-) m   *title*
Tochter (¨) f   *daughter*
Tochtergesellschaft (-en) f   *subsidiary company*
Toilette (-n) f   *toilet*
tragen (getragen)   *to bear, wear*
treffen (getroffen)   *to make*
Treffen (-) n   *meeting*
treiben (getrieben)   *to go in for (sport)*
Treppe (-n) f   *staircase*
treten (getreten), in Kraft treten   *to come into force*
trinken (getrunken)   *to drink*
tun (getan)   *to do*
Typ (-en) m   *type*
typisch   *typical*

U-Form (-en) f   *U-shape*
über   *about*
über   *above*
überlassen (überlassen)   *to leave*
überlegen (überlegt)   *to consider*
übermitteln (übermittelt)   *to convey*
übernachten (übernachtet)   *to stay the night*
Übernachtung (-en) f   *overnight stay*
übernehmen (übernommen)   *to take charge of*
überprüfen (überprüft)   *to check*
übersetzen (übersetzt)   *to translate*
überzeugt   *convinced*
üblich   *usual*
Uhr (-en) f   *hour (clock, watch)*
Uhrzeit (-en) f   *time*
um   *at*
Umfrage (-n) f   *survey*
Umschlag (¨e) m   *envelope*
unbedingt   *absolutely*
und   *and*
ungefähr   *approximately*
Unkosten pl   *expenses*
uns   *us*
unser   *our*
unter   *underneath*
unterbreiten (unterbreitet)   *to present*

unter/bringen (untergebracht) *to put up*
Unterbringung f *accommodation*
Unterbringungskosten pl *accommodation expenses*
unter *lower*
Unterlage (-n) f *document*
Unternehmensplanung f *business policy*
Unterschied (-e) m *difference*
Unterschrift (-en) f *signature*
Unterstützung (-en) f *support*
unterwegs *underway*
Urlaub (-e) m *holiday, leave*
Urlaubsziel (-e) n *holiday destination*
Urlaubsreise (-n) f *holiday journey*

Vater (-̈) m *father*
vegetarisch *vegetarian*
Verabredung (-en) f *appointment*
verabschieden (sich) *to take one's leave*
Veranstaltung (en) f *event*
Veranstaltungsraum (-̈e) m *events room*
verbessern *to improve*
Verbindung (-en) f *contact*
verbringen (verbracht) *to spend*
verdunkelbar *can be dimmed/made darker*
vereinbaren *to agree*
Vereinigung f *unification*
vereint *united*
Verfügung f *disposal*
vergessen (vergessen) *to forget*
Vergleich (-e) m *comparison*
vergleichen (verglichen) *to compare*
Vergnügen (-) n *pleasure*
vergrößern *to increase*
verhandeln *to negotiate*
verheiratet *married*
Verkaufsabteilung (-en) f *sales department*
Verkaufsassistent/in (-en/nen) f *sales assistant*
Verkaufsleiter/in (-/nen) m/f *sales manager*
Verkaufsprogramm (-e) n *sales programme*
Verkaufsziffer (-n) f *sales figure*
Verkehrsamt (-̈er) n *tourist office*
Verkehrsverbindung (-en) f *means of transport*
Verkehrsverein (-e) m *tourist office*
verlaufen (verlaufen sein) *to proceed*
verlieren (verloren) *to lose*
Verpflegung f *catering*
Versand m *despatch department*
verschieden *different*
Versicherung (-en) f *insurance*
versprechen (versprochen) *to promise*
verstehen (verstanden) *to understand*
versuchen *to try*
verteilen *to distribute*
Vertrag (-̈e) m *contract*

Vertreter (-) m *representative*
Verweilen n *relaxation*
Verwendungszweck (-e) n *purpose*
Videofilm (-e) m *video film*
Videorecorder (-) m *video recorder*
Videovermietung (-en) f *video rental*
viel *much*
vielleicht *perhaps*
vielmehr *rather more*
vier *four*
viertens *fourthly*
vierzehn *fourteen*
Visitenkarte (-n) f *visiting card*
voll *full*
vollständig *complete*
von *from*
voraussichtlich *probably*
vorbereiten *to prepare*
Vorbereitung (-en) f *preparation*
vorgehen (vorgegangen sein) *to precede*
vorgestern *the day before yesterday*
vorhaben *to intend*
Vorhaben (-) n *intention*
vorher *beforehand*
vorhin *previously*
Vormittag (-e) m *morning*
Vorschlag (-̈e) m *suggestion*
vorschlagen (vorgeschlagen) *to suggest*
Vorspeise (-n) f *starter*
Vorstand (-̈e) m *board of directors*
vorstellen *to present*
Vorstellungsgespräch (-e) n *job interview*
Vorteil (-e) m *advantage*

wählen *to choose*
Währung (-en) f *currency*
Währungsunion (-en) f *currency union*
Wagen (-) m *car*
Wagenschlüssel (-) m *car key*
Wahl (-en) f *election*
wahr *true*
wahrscheinlich *probably*
Wand (-̈e) f *wall*
Wandbespannung (-en) f *wall covering*
wann *when*
war (gewesen sein) *was*
warten *to wait*
Wartezeit (-en) f *waiting time*
warum *why*
was *what*
WC (-s) f *toilet*
wechseln *to change*
Wechselstrom (-̈e) m *alternating current*
Weg (-e) m *way*
Weihnachtsprogramm (-e) n *Christmas programme*
Weihnachtstag (-e) m *Christmas Day*
weil *because*
Wein (-e) m *wine*
Weinkarte (-n) f *wine list*

weiter *further*
weiter/arbeiten *to carry on working*
welche *which*
weltbekannt *world famous*
wen *who(m)*
wenden (gewandt) *to turn*
weniger *less*
wenn *if*
wer *who*
Werbekampagne (-n) f *advertising campaign*
Werbematerial (-ien) n *advertising material*
werden (geworden sein) *to become*
westlich *western*
Wetter n *weather*
Wettervorhersage (-n) f *weather forecast*
wichtig *important*
wie *as, how*
Wiederhören n *goodbye*
wiederholen (wiederholt) *to repeat*
wieder/kommen (wiedergekommen sein) *to come again*
Wiedersehen (-) n *goodbye*
wieviel *how much*
will (wollen) *want to*
Willkommen n *welcome*
Winter (-) m *winter*
Winterpräsentation (-en) f *winter presentation, sales conference*
wir *we*
wird (geworden sein) *becomes (will be)*
wirklich *really*
wirtschaftlich *economically*
wissen (gewußt) *to know*
Woche (-n) f *week*
Wochenende (-n) n *weekend*
wohin *where to*
wohnen *to live*
Wohnung (-en) f *flat*
wollen (wollen) *want to*
wunderbar *wonderful*
wunderschön *wonderful*
Wunsch (-̈e) m *wish*

zehn *ten*
zeigen *to show*
Zeit (-en) f *time*
Zeitplaner (-) m *time planner*
Zeitplanung (-en) f *time planning*
zentral *central*
Zeugnis (-se) n *certificate*
Ziel (e) n *aim*
Zimmer (-) n *room*
Zimmerreservierung (-en) f *room reservation*
Zitrone (-n) f *lemon*
zu *too, to*
Zubehör n *accessories*
Zucker m *sugar*
zuerst *first of all*
zufrieden *satisfied*
zu/hören *to listen*

Zukunft f *future*
zum Beispiel *for example*
zurück/rufen (zurückgerufen) *to call back*
zurück/schicken *to send back*
Zusage (-n) f *acceptance*
zusammen/fassen *to sum up*
zusammen/hängen *to be connected*

Zuschlag (-̈e) m *supplement*
zuständig *responsible*
zuverlässig *reliable*
zwanzig *twenty*
zwar *in fact*
Zweck (e) m *aim*
zwei *two*

Zweigniederlassung (-en) f *branch of a company*
zweitens *secondly*
zweiundzwanzig *twenty-two*
zwischen *between*
zwölf *twelve*
zwölften *twelfth*